하늘에서 내려온 선물

Gift from Heaven

하늘에서 내려 온 선물

구원의 원리 | 신자 삶의 원리

이기승 지음

Gift from Heaven

신교횃불

들어가는 말

마지막 날에 하나님이 말씀하신, 말씀이신 예수 그리스도(Jesus, the Word of God)께서 탄생하신 성탄절이 문득 가까이 다가섰다. 벌써부터 상가와 골목에는 오색찬란한 불들과 장식품들로 번쩍이는 성탄 츄리가 마음을 설레게 한다. 금년도 크리스마스가 한낱 사람들의 흥을 돋우는 이벤트가 되지 않기를 비는 마음 간절하다.

나는 말씀 속에서 그리스도 예수를 깊이 만나기 위해 몸부림쳐왔다. 간혹 헬라어와 히브리어를 습득하여 원전을 중심으로 말씀을 연구하지 못하는 것이 자못 후회스럽기는 하지만, 그래도 성령님의 인도를 따른 렉시오 디비나(Lectio Divina)와 묵상(meditatio), 오라시오(Oritio)를 위시하여 이 책 저 책, 국내외 주석류와 헬라어 히브리어 사전의 도움을 받아 전하는 말씀이 본문에서 이탈하지 않으려고 애써왔다. 그런 가운데 성도들에게 전한 설교들을 정리해 둔 것이 이번에 김수곤 사장님을 통해 선교햇불에서 나오게 되었다.

수많은 훌륭한 대설교가들의 설교집이 서가에 넘치고 있는데, 부족한 종의 설교집이 무슨 역할을 하겠는가라는 자괴감이 있지만, 그래도 내가 개인적으로 묵상하고 배우고 실천하며 전하는 작은 예수(?)를 나누는 일도 의미가 있으리라는 믿음과 용기로 설교집을 내기로 했다. 이러한 작은 예수를 전하는 작은 자의 설교집을 내 주시기로 결단하신 선교햇불의 김수곤 사장님의 깊은 배려와 사랑에 감사할 따름이다.

　되도록 성경 본문이 전하고자 하는 메시지를 곡해하거나 훼손하지 않으려고 애를 썼지만, 혹 이 설교집을 접한 목회자나 성도들이 흠을 발견하게 되면 스스럼없이 가르쳐 바로 잡아 주시기를 바라는 마음 간절하다.

　종말에는 말씀이 홍수같이 넘치나 참된 말씀이 없어서 영적 기갈을 맞게 된다고 예언하셨는데, 부족한 종이나 모든 목회자들이 말씀 속으로 깊이 들어가서 생명의 말씀을 퍼 올려 영적 기갈을 만나지 않도록 뭇 성도들에게 풍성한 꼴을 먹였으면 한다.

　그간 수고하신 선교햇불의 김수곤 사장님과 여러 직원들의 노고에 깊이 감사드린다.

2019. 1
야성산성 자락에서
이기승 목사

목차

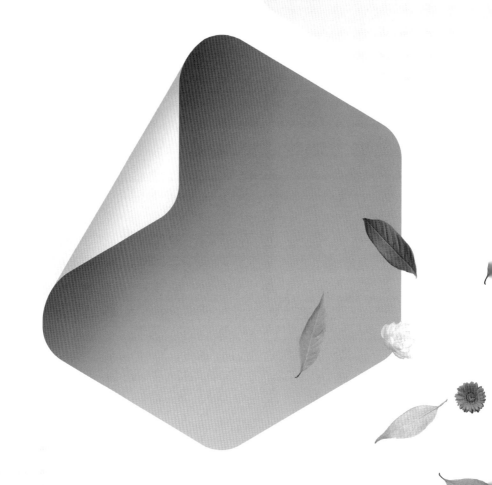

I
구원의 원리

1 하늘에서 내려온 선물

(눅 19:1-10)

예수께서 여리고로 들어가 지나가시더라. 삭개오라 이름하는 자가 있으니 세리장이요 또한 부자라. 그가 예수께서 어떠한 사람인가 하여 보고자 하되 키가 작고 사람이 많아 할 수 없어 앞으로 달려가서 보기 위하여 돌무화과나무에 올라가니 이는 예수께서 그리로 지나가시게 됨이러라. 예수께서 그 곳에 이르사 쳐다 보시고 이르시되 삭개오야 속히 내려오라 내가 오늘 네 집에 유하여야 하겠다 하시니 급히 내려와 즐거워하며 영접하거늘 뭇 사람이 보고 수군거려 이르되 저가 죄인의 집에 유하러 들어갔도다 하더라. 삭개오가 서서 주께 여짜오되 주여 보시옵소서 내 소유의 절반을 가난한 자들에게 주겠사오며 만일 누구의 것을 속여 빼앗은 일이 있으면 네 갑절이나 갚겠나이다. 예수께서 이르시되 오늘 구원이 이 집에 이르렀으니 이 사람도 아브라함의 자손임이로다 인자가 온 것은 잃어버린 자를 찾아 구원하려 함이니라(눅 19:1-10)

예수님은 하나님을 떠난 잃은 자들을 찾아 구원하기 위해 세상에 오셨다. 예수님이 상업의 관문이며 농산물 중심지인 '달의 성읍', '종려의 성읍' 여리고를 지나가신 것은 잃어버린 한 사람 삭개오('순결한 사람' '정의로운 사람')를 찾아 구원하기 위함이었다. 그냥 목적 없이 무심코 스쳐 지나가신 것이 결코 아니었다.

세리장 삭개오는 로마 권력을 등에 업고 동족을 착취하여 부(富)를 축적한, 이름 그대로 순결하지도 정의롭지도 않은 불의한 사람이었다. 그는 지금까지 거짓 자아(false self)와 그와 연결된 거짓 행복감(false sense of happiness)이란 뜬 구름에 간신히 매달려 온 사람이었다. 그는 구원의 은혜 안에서 갖는 진정한 자기 가치감(authentic sense of the Self)이 없는 잃어버린 사람이었다.

흔히 여느 사람들은 부를 축적하려고 안간힘을 쓰며, 그 쌓은 부를 자신의 안녕과 행복의 기반으로 삼고 거짓된 만족감 혹은 행복감에 안주하지만, 삭개오는 그가 축적한 부와 그 부를 누림에도 만족하지 못했고, 그의 영혼에는 평안과 안식이 없었다. 그래서 그는 틀림없이 자신의 영혼의 갈증을 해결해 줄 그 무엇을 애써 찾고 있었다.

그러던 중 귀동냥으로 예수님의 소문을 들었고, 예수님을 만나 보고자 했다. 그 사실만 보아도 그의 영혼에는 그 무엇으로도 채울 수 없는 깊은 심연이 있었다. 만일 그 무언가 그의 텅 빈 영혼을 채워 줄 것을 추구하지 않았고 그의 영혼에 갈증이 없었다면, 그는 예수에 관한 소문에 일말의 관심도 드러내지 않았을 것이다.

그에게 예수라는 분을 만나면 자신이 품고 있는 문제에 대해 어떤 해답을 찾을 수 있을 것 같은 예감이 들었을까? 삭개오는 예수라는 분을 만날 이 절호의 기회를 결코 놓칠 수 없었다! 어쩌면 생의 유일한 기회였다!

그런데 한 가지 문제가 그를 가로막고 있었다. 그는 키가 작아서 군중들에 둘러싸인 예수님의 얼굴을 볼 수 없었다. 그래서 그는 돌무화과나무 위로 올라가기로 굳게 마음먹었다.

1. 절박한 추구

삭개오는 예수를 보고 싶어 했다. 예수를 "보고자 하되"라는 동사 '제테오'(Zeteo)는 '절대적으로 추구하다'(to seek absolutely)는 뜻이다. 호기심에 의해 그냥 보고 싶어 한 것이 아니었다. 얼마나 절박했으면 "달려갔을까?" 여러 가지 추구하는 것들 가운데 하나가 아닌, 자신의 영혼의 갈증을 해소해 줄 수 있는 어떤 절대적인 것을 절박하게, 필사적으로 추구했다는 것이다. 만일 이 기회를 놓친다면 그의 영혼은 삶의 무의미의 늪 속에서 계속 허우적거릴 것이었다.

여기 '제테오'(Zeteo)는 10절의 잃어버린 자를 "찾아" 오신 예수님의 찾으심과 동일한 말이다. 예수님도 삭개오를 '제테오'(Zeteo)-절대적으로 찾아오신(to seek absolutely) 것이다. 앞에서도 말했지만, 그냥 목적 없이 여리고를 지나가신 것이 아니란 말이다.

2. 하늘에서 내려온 선물(gift from heaven)

삭개오는 전율에 휩싸였다. 나무 밑을 지나시던 - 지나가실 길도 많은데 하필이면 돌무화과나무 바로 밑을 지나가셨을까? - 예수라는 분이 나무 위를 올려다보시면서 나무 가지에 아스라이 걸터앉은 자신의 이름을 부르시는 것이 아닌가! 생면부지의 사람의 이름을 아시는 분! 자신의 존재를 뚫어보고 계시는 분! 어찌 전율에 휩싸이지 않을 수 있을까? 삭개오는 순간 차

디찬 얼음장처럼 얼어붙었다!

예수는 삭개오에게 그의 집에 머무르시겠다면서 "속히 내려오라"고 하셨다!

삭개오는 나무 위에 있어서는 안 된다! 속히 내려와야 한다! 삭개오는 나무 위에서 변화되지 않는다! 나무에서 내려오되 속히 내려와야 한다! 나무 위는 자기숭배, 자기우상화 자리이다. 자기본위, 자기의지, 자기중심의 자리다. 또한 나무 위는 맘몬주의의 자리, 인간의 이성과 판단과 경험을 절대시하는 인본주의의 자리다. 더 나아가 육신의 안일과 쾌락을 추구하는 세속화의 자리다. 이것들의 자리에서 속히 내려와야 한다! 내려 와서 주님 발 앞에 무릎 꿇어야 한다. 나사렛 예수 그분에게 입맞춤해야 한다!(시 2:12). 그래야 새 생명의 문, 새로운 존재의 문이 활짝 열린다!

삭개오는 이 모든 자리에서 과감히 내려왔다! "달려간" 삭개오는 나무에서 "급히" "신속히" 내려왔다. 삭개오처럼 우리 역시 꾸물거리지 말고 속히 내려와야 한다!

여기 "내려오다"는 동사 '카타베시'(Katabethi)는 '하늘에서 내려온 선물'(gift from heaven)이란 뜻이다.

결국, 삭개오가 나무에서 내려왔다기보다는 나무에서 내려온 삭개오에게 하늘로부터 구원과 영생의 선물이 내려온 것이다! 우리 역시 내려오면 같은 선물을 받는다!

3. 친교식사와 연합

삭개오는 예수님을 자기 집에 모시고 영접했다. 고대 근동의 식사친교

(table fellowship)는 평화, 신뢰, 형제애, 용서의 보장을 의미했다. 삶을 공유하는 것이었고, 우정과 사랑의 관계 속에 들어가는 것이었다. 삭개오는 예수 안으로 들어갔고, 예수님은 삭개오의 실존 속으로 들어가셨다(계 3:20). 이제 예수와 삭개오는 하나(oneness)로 연합되었다.

유대 신비주의자들은 찬양, 기도, 금식을 통해 위로 상승하여 아홉 개의 헤칼로트(궁방)를 통과하여 '메르카바'(Merkabah 신의 전차戰車) 곧 신의 보좌에 도달하고자 했다(겔 1장). 그 도달 목표는 신과 연합(unity with God)하는 것이었다. 그런데 성 어거스틴(S. Augustine)은 "내면으로 들어가는 것이 곧 위로 상승하는 것"이라고 했다. 예수님께서 "천국은 네 안에 있다"고 말씀하시지 않았던가?(눅 17:21).

삭개오는 예수님을 자신의 집으로만 영접한 것이 아니었다. 그의 존재 안으로 모셔 들인 것이었다. 비로소 삭개오 안에 천국이 이루어진 것이다.

4. 온전한 회개와 구원

삭개오는 회개했다. 그리고 예수를 주(The Lord)로 믿었다.

회개함(메타노이아 metanoia)으로써 예수 안으로 들어간 삭개오에게 새 사람이 되는 변화(transformation)가 일어났다.

돌무화과나무는 거듭나는(重生중생) 변화가 일어난 성스런 공간, 성스런 장소(sacred or divine space)였다. 마치 얍복강(야뽀크: '쏟아붓다')이 야곱에게 변화의 성스런 장소가 된 것처럼. 구원의 백성이 되려면 누구에게든지 이런 성스런 공간이 있어야 한다. 인간의 영혼은 성스런 공간에서 살아난다.

출애굽기 23장 1절, 레위기 6장, 민수기 6장의 말씀대로 삭개오는 속여 빼앗았던 사람들에게 네 배로 갚았고, 나머지 재산의 절반을 가난한 자들에게 나누어주었다. 그러고 나면 남는 것은 거의 없었을 것이다! 이는 무엇을 말하는가?

이제는 그에게 돈보다 예수님이 더 소중한 것이 되었다는 의미이다. 구원과 영생이 더욱 가치 있는 것이 되었다. 미쉬나(Mishnah)에는 재산의 5분의 1 이상을 자선에 사용하지 말라는 규정이 있었다. 그러나 삭개오는 권위 있는 전통을 초월하여 재산을 다 나누어 주었다. 이제 그에게는 돈이 우상이 아니었다. 하늘에서 내려온 영생의 선물을 받고나니, 절대적으로 알았던 지상의 것들이 상대적인 것이 된 것이다. 영생 얻은 사람에게서는 반드시 이 같은 열매가 나타난다.

어떤 무명의 현자는 이런 말을 남겼다:

돈으로 좋은 침대를 살 수 있으나 단잠은 살 수 없다.
돈으로 좋은 옷을 살 수는 있으나 인격은 살 수 없다.
돈으로 약을 살 수 있으나 건강은 살 수 없다.
돈으로 좋은 집을 살 수 있으나 행복한 가정은 살 수 없다.
보석으로 된 십자가는 살 수 있으나 신앙은 살 수 없다.

그렇다! "머니(뭐니) 머니(뭐니) 해도 머니(money)가 최고다!"라는 말은 참이 아니다. 적어도 삭개오에게는.

우리는 회심의 열매, 변화의 열매를 맺지도 못하면서 '나는 구원 얻은 사람'이라는 거짓 확신에 속지 말아야 한다! 참된 신앙의 표지인 열매가 보이지 않는데, 나무(신앙)가 살아있다고 말하는 것은 오류라고 야고보는 말하지 않는가?(약 2:26).

마틴 루터(Martin Luther)는 믿음으로 '밖에서 온 의', 혹은 '딴 의'(alien righteousness)를 받은 신자는 반드시 '타당한 의'(proper righteousness)를 맺는다고 말했다. 이는 하나님을 사랑하고 이웃을 내 몸처럼 사랑하는 것이다. 루터는 만일 후자가 없으면 그 또는 그녀는 신자가 아니라고 말했다. 신앙의 열매와 관련하여 그는 계속 말했다: "가슴의 회심, 정신의 회심, 돈지갑의 회심, 이 세 가지 회심이 일어나야 온전한 회심이다." 수전노를 영어로 '마이저'(miser)라고 하는데, '불행'이라는 영어 misery는 수전노(miser)에서 온 말이다. 돈에 포로가 된 자는 불행한 자라는 말이다.

삭개오에게 있어서 전에는 순결한 사람, 정의로운 사람이라는 뜻의 이름이 무색했지만, 예수님을 만난 후, 변화된 삭개오는 이름 그대로 순결한 사람, 그리고 정의로운 사람이 되었다.

교회전승에 의하면, 삭개오는 이후 가이사랴의 감독이 되어 주님의 교회를 열심히 돌보고 섬겼다고 한다.

나무에서 내려온 삭개오! 예수님을 영접한 삭개오에게 하늘로부터 영생의 선물이 내려왔다!

* 지금 나무 위에 앉아 있는가?

2 찢어진 그물 vs 찢어지지 않은 그물
- 153의 축복 -
(눅 5:1-11, 요 21:1-11, 롬 1:5, 16:26-27)

무리가 몰려와서 하나님의 말씀을 들을새 예수는 게네사렛 호숫가에 서서 호숫가에 배 두 척이 있는 것을 보시니 어부들은 배에서 나와서 그물을 씻는지라. 예수께서 한 배에 오르시니 그 배는 시몬의 배라 육지에서 조금 떼기를 청하시고 앉으사 배에서 무리를 가르치시더니 말씀을 마치시고 시몬에게 이르시되 깊은 데로 가서 그물을 내려 고기를 잡으라. 시몬이 대답하여 이르되 선생님 우리들이 밤이 새도록 수고하였으되 잡은 것이 없지마는 말씀에 의지하여 내가 그물을 내리리이다 하고 그렇게 하니 고기를 잡은 것이 심히 많아 그물이 찢어지는지라. 이에 다른 배에 있는 동무들에게 손짓하여 와서 도와 달라 하니 그들이 와서 두 배에 채우매 잠기게 되었더라. 시몬 베드로가 이를 보고 예수의 무릎 아래에 엎드려 이르되 주여 나를 떠나소서 나는 죄인이로소이다 하니 … 그들이 배들을 육지에 대고 모든 것을 버려두고 예수를 따르니라 (눅 5:1-11)

그 후에 예수께서 디베랴 호수에서 또 제자들에게 자기를 나타내셨으니 나타내신 일은 이러하니라. 시몬 베드로와 디두모라 하는 도마와 갈릴리 가나 사람 나다나엘과 세베대의 아들들과 또 다른 제자 둘이 함께 있더니 시몬 베드로가 나는 물고기 잡으러 가노라 하니 그들이 우리도 함께 가겠다 하고 나가서 배에 올랐으나 그 날 밤에 아무 것도 잡지 못하였더니 날이 새어갈 때에 예수께서 바닷가에 서셨으나 제자들이 예수이신 줄 알지 못하는지라. 예수께서 이르시되 얘들아 너희에게 고기가 있느냐 대답하되 없나이다. 이르시되 그물을 배 오른편에 던지라 그리하면 잡으리라 하시니 이에 던졌더니 물고가가 많아 그물을 들 수 없더라 … 시몬 베드로가 올라가서 그물을 육지에 끌어 올리니 가득히 찬 큰 물고기가 백쉰세 마리라 이같이 많으나 그물이 찢어지지 아니하였더라 (요 21:1-11)

그로 말미암아 우리가 은혜와 사도의 직분을 받아 그의 이름을 위하여 모든 이방인 중에서 믿어 순종하게 하나니 (롬 1:5)

이제는 나타내신 바 되었으며 영원하신 하나님의 명을 따라 선지자들의 글로 말미암아 모든 민족이 믿어 순종하게 하시려고 알게 하신 바 그 신비의 계시를 따라 된 것이니 이 복음으로 너희를 능히 견고하게 하실 지혜로우신 하나님께 예수 그리스도로 말미암아 영광이 세세무궁하도록 있을지어다 아멘 (롬 16:26-27)

헤르몬 산에 쌓인 눈이 녹아 흘러내려 아름다운 갈릴리 호수의 수원(水原)이 되었다. 갈릴리 혹은 게네사렛 호수가 한껏 내뿜는 풍미는 그녀를 사랑하는 모든 이의 마음을 녹록하게 했다. 예수는 이를 목자 없는 양 무리를 먹이시는 말씀의 무대로 잘 활용하셨다.

바람이 산등성이에서 아래로 불면 예수님은 산 위에서 무리에게 말씀하셨고, 반대로 바람이 바다에서 산 쪽으로 불면 예수님은 바닷가에서 무리를 가르치셨다. 예수님은 지형지물을 잘 이용하셨다.

해는 지평선에서 얼굴을 내민 지 제법 되었고, 베드로를 위시한 어부 일행은 호숫가에서 그물들을 손질하고 있었다. 그날 밤에 한 마리 고기도 잡지 못한 그들은 마치 헤밍웨이의 《바다와 노인》에 등장하는 샌디에고 할아버지처럼 깊은 씨름에 푹 빠져있었다.

이른 아침부터 모여든 무리에게 말씀을 전하시던 예수는 시몬의 배에 올라타신 후 - 어떻게 허락을 받으셨는지 혹 항거할 수 없는 권위로 올라가셨는지 모른다 - 무리에게 말씀하시다가, 느닷없이 시몬에게 "깊은 데로 가서 그물들을 내리라"고 말씀하셨다. 갈릴리 바다에서 고기잡이로 잔뼈가 굵어진 시몬에게 하신 예수님의 이 말씀은 실로 어처구니없는 난센스였다.

1. 불순종과 찢어진 그물

"깊은 데로 가서 그물들(타 테크투아 τα τεκτυα)을 내리라"는 주님의 말씀은 시몬이 받아들이기에는 애초에 불가능했다. 그럴 만도 한 일일까? 고기잡이로 잔뼈가 굵어진 그의 이론과 경험상, 지금 시간은 깊은 데 고기가 몰려드는 시간도 아닐뿐더러, 한 개의 그물(톤 테크톤 τον τεκτον)이 아니라 "씻은 그물들(타 테크투아 τα τεκτυα)을 모두 다 내리라"는 예수의 말씀을 어떻게 수용할 수 있었을까?

시몬은 처음에 예수를 "선생님"(에피스타타 επιστατα)으로 불렀다. 여느 선생들과는 달리 좀 더 무게감 있는 한 선생 정도로 느꼈던 것일까? "선생님, 우리가 밤새도록 잡은 것이 없지마는 말씀에 의지하여 그물을 내리리이다"란 말은, "날이 밝아 그물이 훤히 보이는 이 시간에, 고기들이 모이는 곳도 아닌 곳에 가서 씻어놓은 그물들(타 테크투아 τα τεκτυα)을 다 내리라니요? 그렇게 말씀하시니 어디 한 번 해봅시다."라는 심보였다. 그는 물이 쏴아~ 하고 쏟아지는 텅 빈 그물 하나를 예수의 눈앞에 달랑 들어 올려 보이면서 예수를 무참케 할 작정이었다.

그래서일까? 시몬은 단 한 개의 그물(톤 테크톤 τον τεκτον)만을 내렸다. 그런데 어찌된 일인가?

믿기 힘든 놀라운 기적이 일어났다! 예상 밖에 고기가 너무 많이 잡혀 그물은 툭툭 찢어지고 있었다! 찢어져가는 그물에서 잡힌 물고기들이 퍼덕이며 앞 다투어 그물을 빠져나가고 있었다! 찢어진 그물은 아무 쓸 데가 없다! 시몬은 둔기로 머리를 한 대 얻어맞은 것 같았다!

기독교 신앙은 우리 자신의 이론, 경험, 지식, 이성 모두를 십자가에 못 박는 것이다. 그리고 오로지 주님의 말씀을 신뢰하여 온전히 순종하는 것이다. 내 생각대로, 내 방식대로, 내 주장대로, 내 경험을 따라서 하는 불순종의 일들은 잘되는 것 같지만 결국은 찢어진 그물처럼 되고 만다!

어떤 신혼부부가 허니문(Honey moon: 신혼여행) 길에 올랐다. 아름다운 추억의 순간을 하나라도 빠뜨릴세라 카메라에 모두 담았다. 신혼여행을 마치고 찍은 사진을 현상하러 사진관엘 갔다. 그런데 이 어찌된 낭패인가? 카메라 속에 필름(혹은 칩)이 들어 있지 않았던 것이다! 주님의 말씀에 대한 불순종은 이와 같다!

2. 죄인인 자신과 주님의 발견

맨 처음 예수님을 "선생님"(에피스타타 εροτατα)이라고 불렀던 시몬은, 이 믿기 어려운 초월적인 기적 앞에서 예수님을 "주님"(쿠리에 κμριε)으로 부르며 자신을 죄인이라고 고백한다. 그리고 자신을 떠나시기를 간구한다: "주여, 나는 죄인이로소이다. 나를 떠나소서!!"

하나님에 관한 지식(knowledge of God), 예수 그리스도에 관한 지식(knowledge of Christ)을 가질 때 인간은 비로소 자신에 관한 바른 지식(knowledge of Self)을 가질 수 있다. 거룩하시고 전능하신 하나님 앞에, 하나님의 본체시요 영광이신 주 예수 그리스도 앞에 서지 않은 인간은 여전히 자신을 알지 못하는 암흑 속에 처해 있다.

이사야는 선왕 웃시야가 죽자 나라의 운명이 걱정되어 하나님의 성전 예배에 참여했다. 그리고 성전에서 그는 환상을 보았다. 거룩하신 하나님, 죄에 대해 진노하시는 만군의 여호와 앞에 있는 자신은 죽을 죄인임을 발견했다: "화로다 나여 망하게 되었도다. 나는 입술이 부정한 사람이요 나는 입술이 부정한 백성 중에 거주하면서 만군의 여호와이신 왕을 뵈었음이로다"(사 6:5).

시몬의 고백과 이사야의 고백은 어느 면에서 똑같다. 거룩하신 주님 앞에서 우리 모두는 죄인이다.

그런데 은혜의 하나님은 이사야를 죄와 죽음 가운데 처하도록 방치하지 않으셨다. 겸손히 죄인임을 고백하는 그에게 사유의 은총을 내리셨을 뿐만 아니라 사명까지 부여하셨다: "내가 여기 있나이다. 나를 보내소서"(사 6:8).

3. 제자의 길, 소명의 길

결국 시몬은 배와 고기, 그리고 가족 등 모든 것을 버리고 예수를 따른다. 따름이 없는 은혜는 값싼 은혜, 싸구려 은혜이기 때문이다. 은혜가 은혜다울 수 있는 것은 따름이 있기 때문이다(본회퍼).

예수와 함께 3년간의 공생애를 보내면서 그는 그 어느 제자보다도 예수님의 더 가까운 수제자로 사역하며 훈련받는다. 그러나 예수께서 예루살렘에 올라가 박해를 받고 죽임을 당할 것을 예보하시자, 그는 주님을 만류하고, 종내 다른 제자들은 다 주를 버릴지라도 자신은 주님을 버리지 않을 것이라고 호언장담한다. 그러나 그는 세 차례에 걸쳐 예수님을 부인한다. 그것도 마지막에는 저주까지 하면서...

그러나 부활하신 주님은 처음 때처럼 게네사렛 호숫가에 찾아오셨다. 자신을 저주까지 하면서 부인하고 버린 시몬을 찾아오신 것이다. 아! 주님의 변치 않는 사랑이여!

4. 오른편과 153의 축복

부활하신 예수님은 게네사렛 호숫가에 찾아오셨다. 그날 밤도 역시 시몬 일행은 한 마리 고기도 잡지 못했다. 예수님은 시몬에게 "배 오른편에 그물 한 개(톤 테크톤 τον τεκτον)를 내리라"고 하셨다. 당시의 조그만 고기잡이배의 오른편에 그물을 던지는 것과 왼편에 던지는 것의 차이는 거의 없다(make no difference!). 하지만 시몬은 이번에는 말씀을 믿어 신뢰하고 온전히 순종하여 배 오른편에 그물 하나(톤 테크톤 τον τεκτον)를 내렸다. 그 결과, 큰 물고기 153마리를 잡았으나 그물은 찢어지지 않았다!

전도서 기자는 지혜로운 자는 오른편에 우매자는 왼편에 선다고 말한다 (전 2:10). 시몬은 오른편에 섰다!

오른편(덱시오스 Dexios)은 지혜자의 자리다(전 10:2). 그리고 왼편(누노모스 Nunomos)은 우매자의 자리다. '덱시오스'는 온전한 믿음과 신뢰 그리고 순종의 자리, 친교의 자리(시 16:11, 80:17, 삿 5:31 등), 이후에 그리스도와 세상을 다스릴 통치의 파트너의 자리(계 5:1, 20:6), 하나님의 보호의 자리(시 16:8, 121:5 등)이며, 종말에 하나님 나라에 들어갈 양(羊)의 자리(마 25:33)다. 반대로 '누노모스'는 불신과 불순종의 자리, 멸망 받을 염소의 자리(마 25:33)다. 지혜로운 자는 오른편(덱시오스)에 서고 어리석은 자는 왼편(누노모스)에 선다고 성경은 말씀한다.

바울은 구원론의 정수라 불리는 로마서에서 믿음과 순종은 불가분리의 관계가 있음을 분명히 밝힌다. 순종의 행위 혹은 열매가 없는 믿음은 쉬운 믿음주의(faithism), 거짓 믿음(false faith) 혹은 유사 믿음(pseudo-faith)이다. 야고보는 실천적인 순종의 행위가 없는 믿음은 죽은 믿음이라고 주장한다(약 2:26).

오른편에 내린 한 개의 그물에는 그물이 찢어질 만큼 많은 큰 물고기들이 잡혔다. 153(플레소스 πλεσος)은 충만수(full number)다. 온전한 믿음과 신뢰 그리고 순종에는 충만한 축복이 임한다.

시몬은 구원과 예수를 따르는 제자 됨의 원리를 몸소 깊이 체득했다!

* 어떤 자리에 서려고 하는가?

3 길, 진리, 생명이신 예수
(요 14:6, 고전 15:1-8)

예수께서 이르시되 내가 곧 길이요 진리요 생명이니 나로 말미암지 않고는 아버지께로 올 자가 없느니라(요 14:6)

형제들아 내가 너희에게 전한 복음을 너희에게 알게 하노니 이는 너희가 받은 것이요 또 그 가운데 선 것이라. 너희가 만일 내가 전한 그 말을 굳게 지키고 헛되이 믿지 아니하였으면 그로 말미암아 구원을 받으리라. 내가 받은 것을 먼저 너희에게 전하였노니 이는 성경대로 그리스도께서 우리 죄를 위해 죽으시고 장사 지낸 바 되셨다가 성경대로 사흘 만에 다시 살아나사 게바에게 보이시고 후에 열두 제자에게와 그 후에 오백여 형제에게 일시에 보이셨나니 그 중에 지금까지 대다수는 살아 있고 어떤 사람은 잠들었으며 그 후에 야고보에게 보이셨으며 그 후에 모든 사도에게와 맨 나중에 만삭되지 못하여 난 자 같은 내게도 보이셨느니라(고전 15:1-8)

기독교는 무덤이 닫히는 종교(Stone-closing Religion)가 아니라 바위를 굴리는 종교(Stone rolling Religion)다.

영국에서 저명한 변호사였던 길버트 웨스트, 로드 리틀튼 이 두 사람은 기독교 신앙의 토대를 전복시킬 수 있는 논문을 쓰라고 위촉 받았다. 리틀튼은 바울의 회심이 허망한 것이었음을 증명하는 논문을 쓰기 시작했고, 웨스트는 예수는 부활하지 않았음을 증명하는 논문을 쓰기 시작했다. 그리고 저술이 끝나갈 무렵 두 사람이 한 자리에 만났다:

> 리틀튼: "나는 사실을 고백해야겠소. 부활의 증거가 너무 명백하여
> 결국 써 놓고 보니 내 책은 바울의 회심을 증언하는 것이 되
> 고 말았소."
> 웨스트: "그 말씀을 해 주셔서 고맙소이다. 실은 나도 실토를 해야겠
> 는데, 예수 그리스도의 부활의 증거는 너무 명백하여 나는
> 부득불 그의 부활을 증언하는 책을 쓰는 수밖에 별 도리가
> 없었소."

《목수 이상의 분》(More than a Capenter)의 저자 조시 맥도웰(Josh McDowell. 영국 법학자, 저널리스트) 역시 기독교의 기둥이자 근간인 부활을 비판하기 위해 연구하다가 부활하신 예수 그리스도를 만나 부활을 변증하기 위해 이 책을 썼다. 또한 프랭크 모리슨(Frank Morison)은 예수의 역사적인 부활을 증언하기 위해《누가 돌을 옮겼는가?》(Who moved the Stone?)라는 책을 썼다.

1. 길이신 예수

　부활하신 예수는 지금도 진심으로 그분을 찾는 자를 만나 주신다.

　인도의 성자 선다싱(Sunder Singh)의 부모는 힌두교와 같은 잡신교인 시이크 교도였다. 그가 14세 되던 해에 어머니가 죽자, 그는 참 신을 찾고 싶었다. 그러던 어느 날 아침, 그는 참 신을 찾지 못하면 죽고 말겠다는 결심을 하고 금식하며 자기 방에서 결사적으로 부르짖고 있었다.

　'라호라'로 가는 열차가 기적을 울리며 지나갔다. 이제 그곳을 지나는 기차는 다음 날 아침 5시 급행열차 밖에 없었다. 그는 밖으로 나와 온 몸을 1시간 동안 깨끗이 씻고 들어가 기도했다:

　"살아계신 신이 계시다면 내일 아침 급행열차가 지나가기 전에 나를 만나 주십시오. 그렇지 않으면 나는 철로 위에 누워 있다가 죽겠습니다."

　이렇게 생명을 내걸고 기도했다. 새벽 5시가 가까워지고 있었다. 그때 온 방에 환한 빛이 빛나며 흰 옷을 입은 사람이 방문도 열지 않고 나타났다. 양손에 피가 흐르고 핏물이 얼룩진 얼굴, 머리에는 가시관을 쓰고 있었다.

　"선다야, 나는 너를 구원하러 왔다. 너는 바른 길을 찾고 있구나. 내가 곧 길이니라."

　"신이여, 누구십니까?"

　"나사렛 예수다."

　선다는 예수님을 만나 구원을 얻었다.

　간절히 찾는 선다싱을 만나주신 주님은 지금도 간절히 찾는 자를 찾으시고 만나주신다:

"너희가 내게 부르짖으며 내게 와서 기도하면 내가 너희들의 기도를 들을 것이요 너희가 온 마음으로 나를 구하면 나를 찾을 것이요 나를 만나리라" (렘 29:12-13)

"그러나 네가 거기서 네 하나님 여호와를 찾게 되리니, 만일 마음을 다하고 뜻을 다하여 그를 찾으면 만나리라" (신 4:29)

하나님은 발견되기를 기다리시는 하나님이시다. 그분은 숨어계시는데, 숨으시는 이유는 숨바꼭질 놀이에서처럼 발견되기 위함이다:

"구원자 이스라엘의 하나님이여, 진실로 주는 스스로 숨어 계시는 하나님이시니이다"(사 45:15)

한 회교인이 예수를 믿게 되었다. 회교권에서 기독교로 개종하는 일은 생명을 거는 위험스런 일이다. 가족과 사회에서 추방당한다. 그가 붙잡혀 재판을 받았다: 그들은 왜 신앙을 바꾸었는지를 캐물었다:

재판관: "왜 회교에서 기독교로 개종했는가?"
개종인: "내가 가다가 길을 잃었습니다. 그런데 죽은 자와 산 자를 만났습니다. 누구에게 길을 물어야 하겠습니까?
재판관: "그거야 당연히 산 자에게 물어야겠지."
개종인: "그렇습니다. 마호메트는 죽었고 예수는 다시 살아나셨습니다. 그러니 부활하신 예수에게 길을 묻는 것은 당연한 일이 아닙니까?"

괴테는 "내 인생의 최고의 날은 모태에서 태어나던 날도 아니요, 사랑하는 연인과 결혼식을 올리던 날도 아니요, 생명과 부활의 주님을 만난 날이다."라고 고백했다.

2. 진리이신 예수

사실과 진리는 확연히 다르다. 사실(fact)은 역사 현장이나 삶의 현장에서 실제로 일어나는 일들과 관련된 형이하학적인 것이지만, 진리(truth)는 절대불변의 형이상학적인 차원에 속한, 인간의 한계요 딜레마인 죽음을 초월한 영원한 생명(eternal life)과 관련된 것이다. 그래서 예수는 "내가 곧 길이요 진리요 생명이니, 나로 말미암지 않고는 아버지께로 올 자가 없느니라"(요 14:6)라고 말씀하셨던 것이다.

예수를 십자가에 못 박도록 내어준 본디오 빌라도는 진리이신 예수 앞에서 "진리가 무엇이냐?"라고 질문을 던졌지만, 정작 자기 앞에 서 계신 분이 진리이신 것은 알지 못했다. 마찬가지로 수많은 사람들은 진리를 추구하지만, 정작 자기들 앞에 서 계신 진리이신 예수는 거부한다. 아! 인간은 얼마나 교만하고 어리석은가!

군무를 마치고 신학교에 다시 복학한 나는, 고 천병욱 교수님(서울신학대학교)의 개인 조교로 천 박사님을 도와드린 적이 있다. 문교부의 지원을 받아 책을 쓰시는 그분을 돕기 위해 국가의 유산이라 할 만한 국내의 여러 유명한 교회들과 - 정동감리교회, 새문안교회, 영락교회 등 - 불교 사찰을 찾아 면담하고 자료를 모으는 일을 했다. 그러던 중 경기도 성남의 어느 높은 산자락에 자리한 역사 깊은 고색창연한 큰 사찰을 찾아 한 스님과 대화를 나누게 되었다. 그분의 지위는 주지승 다음이었는데, 그분은 나를 정중히 맞아 그분이 묵는 방으로 안내했다. 그분은 진리를 찾아 속세를 떠나 입산 수도한지 20년이 되었다고 했다. 대화 도중 나는 조심스레 그분에게 물었다: "스님은 죽으면 극락 가시겠네요?"

그런데 그분은 "속세를 떠나 수도하니 마음의 안정은 찾아가고 있지만 극락에 갈 확신은 없다."고 진솔하게 대답했다. 그래서 나는 미소를 띠면서 "그러면 스님, 이십년 수도 도로아미타불 아닙니까?"라고 하니 그분은 화를 내지 않고 그냥 껄껄 웃기만 했다.

진리는 오직 한 분 예수시다.

1960년대 한국 지성을 대표하는 서울대학 총장 박종홍 박사는 독실한 불교 신자로 박정희 대통령 특별보좌관으로 있을 때 불교 대중화에 큰 공헌을 했다. 그러던 그가 암에 걸리게 되었다. 임종이 임박했을 때 한 제자가 찾아와서 물었다:

> 제 자: "선생님은 평생에 불심이 남달리 돈독했으니 극락이 보이시겠네요?"
> 박교수: "아니네. 극락세계는 보이질 않고 깜깜한 것뿐이야."
> 제 자: "그럼 예수님을 믿어보시겠어요? 예수님을 믿으면 영생을 얻을 수 있습니다."
> 박교수: "나는 죄를 많이 지은 사람이지만 그 진리를 가르쳐주게."
> 제 자: "저는 부족하여 감히 그 진리를 가르쳐드릴 수 없고 훌륭한 목사님을 모시고 오겠습니다."

박 교수의 제자는 당시 새문안교회 담임이셨던 강신명 목사님을 모시고 갔다. 강 목사님으로부터 기독교의 진리를 전해들은 박 교수는 예수님을 영접하고 세례를 받았고, 그의 장례식은 그의 유언에 따라 기독교식으로 치러졌다. 그래서 많은 사람들이 놀라고 화제가 되었다.

361년부터 로마제국을 통치했던 줄리안 황제는 기독교 영향 아래서 성장한 것은 사실이나 의식적으로 기독교를 반대했다. 이교 예배를 재흥했다. 그의 기독교인 박해는 간접적인 방법이었다. 기독교인이 누리던 특혜를 제한하는 대신 이교도에게 특권을 주었고, 기독교인의 모임을 간섭했고, 재정적 제한을 가해 수많은 어려움을 당하게 했고, 기독교 내의 분열과 충돌을 목적으로 이전 황제 통치 기간에 유형을 갔던 기독교 지도자들을 풀어주어 소환시키기도 했다. 패기만만하고 괴팍하기도 했던 이 황제는 361년 겨울을 콘스탄티노플에서 보내고 362년 봄에 페르샤를 공격하기 위해 동쪽으로 원정을 갔다.

그는 363년에 메소포타미아에 도착했는데 여기서 그는 알 수 없는 화살을 맞고 갑자기 죽고 말았다. 그것은 역사의 수수께끼로 남아있다. 그는 죽으면서 "갈릴리 사람, 당신은 승리했구려!"(비시스티 갈릴라이 Vicisti Galilalaee)라는 말을 남겼다.

역사적으로 세속 권력이 그렇게도 기독교를 박해했지만 박해하면 할수록, 박해를 받으면 받을수록 기독교가 더 강해지고 기독교회가 부흥한 까닭은 예수 그리스도는 진리이기 때문이다.

진리는 결코 꺾일 수 없다. 진리는 결코 죽을 수 없다. 갈릴리의 열두 제자들이 목숨을 바치면서까지 예수의 부활을 증언한 것은 진리이신 예수가 죽음의 권세를 깨뜨리고 부활하여 살아계시기 때문이다. 사도들과 제자들은 부활하신 예수를 만났다. 눈으로 볼 수 있고(visible), 손으로 만질 수 있고(tangible), 과학적으로 증명 가능한 것만 진리라고 믿는 실증주의자(꽁트)에 해당하는 도마는 처음에는 예수의 부활을 믿지 않았다. 하지만 이후 부활하신 예수를 만나 못 자국 난 손과 허리의 창 자국을 만진 도마는, "나의 주 나의 하나님이십니다."라고 고백했고, 인도 지방에 가서 선교하다가 순교를 당했다고 한다.

무신론자이며 예수의 부활을 부정하고 공격하려 했던 죠시 맥도웰은 부활하신 예수를 만난 후 쓴 변증서《목수 이상의 분》(*More than a Carpenter* 〈누가 예수를 종교라 하는가?〉 두란노출판사)에서, 진리가 아닌 거짓을 위해 누가 가장 소중한 목숨을 버리겠는가?(Who would die for a lie?)라고 설득력 있는 변증을 하고 있다:

다음의 사도들은 진리를 위해 목숨을 버린 자들이다:

1. 세베대의 아들 야고보(James): 세베대의 아들 야고보는 스데반이 죽은 후 약 10년이 채 지나지 않아 순교했다. 헤롯 아그립바가 유대의 총독으로 임명되자마자 유대인들에게 환심을 얻을 목적으로 그리스도인들에 대하여 매서운 박해를 가하기 시작했을 때 돌에 맞아 죽었다고 전해진다.
2. 빌립(Philip)은 채찍에 맞았으며, 감옥에 갇힌 후 A.D. 54년에 십

자가에서 처형되었다.

3. 마태(Matthew)는 파티아와 에디오피아에서 사역을 하였고, 에디오피아에서 박해받았으며, A.D. 60년 나다바에서 미늘창으로 살해당했다.

4. 작은 야고보(James)는 94세 때 유대인들에게 구타당하고 돌로 맞아, 결국 뇌에 손상을 입고 순교했다.

5. 맛디아(Matthias)는 다른 대부분의 제자들보다 잘 알려지지 않았으나, 가룟 유다의 공백을 메우기 위해 임명되었다. 그는 예루살렘에서 돌매질을 당하였으며 후에 참수형을 당하여 순교했다.

6. 안드레(Andrew)는 많은 아시아 국가들에 복음을 전파하였다. 에데사에서 붙들려 십자가에서 처형되었는데, 땅에서 십자가의 두 끝을 수직으로 못 박혀 죽었다.

7. 마가(Mark)는 알렉산드리아 사람들에 의해 그들의 우상인 세라피스를 기리는 웅장한 종교 의식을 할 때 순교당했다. 그는 무자비한 처형 방법으로 몸이 찢기며 그의 생을 마감했다.

8. 주님을 배반하고 저주했던 베드로(Peter)는 주님의 놀라운 용서를 체험한 후 머리가 땅으로, 다리가 위를 향하는 자세로, 즉 거꾸로 십자가에 못 박혔다. 그는 이렇게 주님과 같은 자세로 죽을 만큼 자신이 고귀하지 못하다는 생각을 했다고 전해진다.

9. 처음에는 사울이라 불렀던 사도 바울(Paul)은 그리스도의 복음을 전파하기 위하여 숭고한 희생과 말할 수 없는 수고를 한 후, 역시 네로의 박해 아래 순교했다. 로마 병사들에 의해 바울은 마을 밖 사형 집행장으로 끌려갔으며, 그곳에서 기도를 마치고 칼에 목이 베여 순교했다.

10. 유다(Jude)는 A.D. 72년에 에데사(Edessa)에서 십자가형을 받았다.

11. 바돌로매(Batholomew)는 여러 나라에서 복음을 전파했다. 그는 오랫동안 잔인하게 폭행당했으며, 포악한 우상 숭배자들에 의해 십자가에서 처형당했다.

12. 도마(Thomas)는 디두모(Didymus)라고 불리며, 파티아와 인도에서 복음을 전했고, 이곳에서 이교도 제사장들을 격노케 했다. 그래서 그는 창으로 몸이 관통되어 죽었다.

13. 누가(Luke)는 누가복음과 사도행전의 기록자이며 복음 전파자이다. 그는 바울과 함께 많은 나라에서 선교했으며, 그리스의 우상 숭배 제사장들에 의하여 올리브나무에 목이 매달려 순교한 것으로 추정된다.

14. 셀롯인(Zelotes) 시몬(Simon)이다. 그는 아프리카 마우리타니아(Mauritania)에서 복음을 전파했으며, 영국에서도 선교했다. A.D. 74년에 그는 영국에서 십자가 처형을 당했다.

15. 예수의 '사랑받는 제자' 요한(John)은 큰 야고보(James the Great)의 형제이다. 에베소로부터 로마로 강제 송환 명령을 받았으며, 그곳에서 기름이 끓는 솥에 던져지는 형을 받았다. 그러나 끓는 기름 가마 속에서 하나님의 도우심으로 해를 입지 아니하고 기적적으로 살아나게 되었다. 그 후 도미티안(Domitian)은 그를 밧모 섬으로 추방했고, 요한은 그 곳에서 「요한계시록」을 기록했다. 도미티안의 후계자인 네르바가 요한을 재송환했다. 그는 사도들 중에 유일하게 참혹한 죽음을 피한 사람인 셈이다.

16. 바나바(Barnabas)는 구브로(Cyprus) 출신이며, 유대인 자손이

다. 그는 약 A.D. 73년경에 순교당한 것으로 추정된다.

온 세상을 얻고도 목숨을 잃는다면, 그것이 무슨 유익이 있겠는가? 온 세상보다 귀한 목숨을 거짓을 위해 버릴 어리석은 자가 어디 있겠는가? 그렇다면 필시 거기에는 그럴만한 이유와 가치가 있었기 때문일 것이다.

3. 생명이신 예수

1999년 4월 20일 오전 11시 30분. 미국 콜로라도 주 리틀턴의 콜럼바인 고등학교에서 대형 총기 사고가 났었다. 트렌치코트 마피아 단원인 그 학교 학생 에릭 해리스, 딜런 클레볼드가 히틀러 생일을 기하여 식당과 도서관에 있는 학생들에게 반자동소총을 난사하여 40여명의 사상자를 내었다.

그 사망자 15명 가운데 캐시 버널 양도 포함되었다. 그녀는 총을 머리에 겨누고 "하나님을 믿느냐?"(Do you believe in God?)는 말에 "그렇다"(Yes, I believe in)고 답을 했고, 이어 총에서는 불이 뿜어 나왔다.

두 남학생은 악마주의(사탄숭배) 음악에 매료되어 기독교를 배척하고 혐오한다는 사실을 캐시 버널 양은 잘 알고 있었다. "아니다"(No)라고 한 마디 하면 얼마든지 살 수 있었지만, 그녀는 목숨을 위한 거짓보다 진실을 위한 죽음을 택했다. 26일, 그녀가 다니던 웨스트 볼스 교회 장례식에 전달된 아버지의 편지 내용은 이렇다:

"딸의 삶 한 가운데에 그리스도가 있었다.
딸의 용기에 가족들은 전혀 놀라지 않고 있다."

캐시 버널 양은 그리스도의 부활을 믿었다. 그리고 그녀 자신도 부활하여 영원한 생명을 얻을 것을 확신했다.

땅 위의 생명, 육신의 생명은 시간의 흐름에 따라 쇠하여지고 결국 죽음의 한계를 넘지 못하고 끝난다. 육신의 장막은 초로(草露)와 같아서 언젠가는 무너진다(고후 5:1). 중국의 진시황은 불로초(不老草)를 얻기 위해 동남동녀 3천명을 삼신산에 보냈지만 노쇠와 죽음의 문턱을 넘지 못했다. 로마시대 전쟁에서 승리한 장군은 성대한 개선행진을 할 때 바로 뒤에 노예한 명을 세워놓았다고 한다. 그 노예의 임무는 장군에게 계속 같은 말을 하는 것이었다: "당신도 죽는다는 것을 기억하라(momento mori)! 당신도 한낱 인간임을 기억하라(Hominem te esse memento)!"

어떤 사람은 죽음을 뒤로 미루려고 하고 피하고자 한다. 그러나 그것은 전혀 불가능한 일이다. 다음의 이야기는 그 사실을 여실히 증명하고 있다.

한 임금이 꿈에 죽음의 사자를 만났는데, 그 사자가 이렇게 말했다: "내일 해지기 전에 너를 데려갈 테니 준비하고 있으라!" 깜짝 놀라 잠에서 깬 임금은 도저히 그대로 잘 수 없었다. 이튿날 궁전에 학자들을 불러 모으고 그 꿈의 해몽을 부탁했다. 그러나 아무도 만족할만한 해답을 내놓지 못하자 책을 찾아보려고 도서관엘 갔다. 시간은 자꾸만 흐르는데 누구 하나 해몽을 가지고 오는 자가 없었다. 초조해진 임금을 보고 있던 한 신하가 말했다: "폐하, 제 생각에는 빨리 이 궁전에서 떠나시는 게 상책이겠습니다." 임금은 그 말을 옳게 여겨 제일 빠른 준마에 올라 죽을힘을 다하여 먼 곳으로 달렸다. 그는 쉬지도 않고 말에 채찍을 휘두르며 달렸다. 땀에 흠뻑 젖은 임금은 도중에 큰 느티나무를 보고 그 나무 아래서 숨을 돌리며 이마의 땀을 닦는데, 해는 어느덧 뉘엿뉘엿 서산을 넘어가고 있었다. 바로 그때 누가 뒤에서 어깨를 두드렸다. 깜짝 놀라 뒤를 돌아보니 죽음의 사자였다. 그는 말했다: "나는 여기서 하루 종일 기다리면서 어떻게 임금님이 이 먼 길을 오시나 하고 걱정했습니다."

예수 밖에는 영원한 생명이 없다. 그러나 예수 안에는 영원한 생명이 있다. 예수가 영원한 생명이시기 때문이다! 예수 안에 있는 자는 예수와 연합이 되었으므로 그분의 영원하신 생명에 참여한다.

예수로 말미암아 얻는 영원한 부활 생명은 쇠하거나 끝나지 않는다. 왜냐하면 부활하신 예수님의 영광의 몸처럼 영광의 몸(glorious body)을 입기 때문이다.

길, 진리, 그리고 생명이신 나사렛 예수는 우리에게 영원한 생명을 주시기 위해 우리 밖에서(extra nobis) 우리를 위해(pro nobis) 죽으시고, 장사되셨다가 사흘 만에 다시 살아나셨다. 부활의 첫 열매이신 예수는 야고보를 위시한 많은 제자들에게 보이시고(나타나시고) 다마스커스 길에서 바울에게도 보이셨다. 예수를 믿는 자는 누구나 천국문의 열쇠를 받는다.

시간과 공간을 넘어 예수는 지금도 우리에게 질문하신다: "너는 나를 누구라 하느냐?"

* 예수 그리스도는 당신에게 누구신가?

4 밤에 찾아온 손님
(요 3:1-8, 요일 5:6-8)

바리새인 중에 니고데모라 하는 사람이 있으니 유대인의 지도자라. 그가 밤에 예수께 와서 이르되, 랍비여 우리가 당신은 하나님께로부터 오신 선생인 줄 아나이다. 하나님이 함께 하시지 아니하시면 당신이 행하시는 이 표적을 아무도 할 수 없음이니이다. 예수께서 대답하여 이르시되, 아멘(αμεν) 아멘(αμεν) 네게 이르노니 사람이 거듭나지 아니하면 하나님의 나라를 볼 수 없느니라. 니고데모가 이르되 사람이 늙으면 어떻게 날 수 있사옵나이까. 두 번째 모태에 들어갔다가 날 수 있사옵나이까? 예수께서 대답하시되 아멘(αμεν) 아멘(αμεν) 네게 이르노니 사람이 물과 성령으로 나지 아니하면 하나님의 나라에 들어갈 수 없느니라. 육으로 난 것은 육이요 영으로 난 것은 영이니 내가 네게 거듭나야 하겠다 하는 말을 놀랍게 여기지 말라. 바람이 임의로 불매 네가 그 소리는 들어도 어디서 와서 어디로 가는지 알지 못하나니 성령으로 난 사람도 다 그러하니라 (요 3:1-8)

이는 물과 피로 임하신 이시니 곧 예수 그리스도시라. 물로만 아니요 물과 피로 임하셨고 증언하는 이는 성령이시니 성령은 진리니라. 증언하시는 이가 셋이니 성령과 물과 피라. 또한 이 셋은 합하여 하나이니라 (요일 5:6-8)

내가 가장 사랑하는 첫째 딸 케더린(Katherine, 한국명: 혜진)의 절친한 미국인 친구 중 한 친구가 난산(難産)으로 사망했다. 꽃도 못 피운 채, 30대 초반의 젊은 나이에 세상을 떠난 것은 너무나도 비통하고 애석한 일이다.

요즘은 의학의 도움 때문에 출산이 비교적 순조롭지만, 예전에는 참 힘들었다. 나는 우리 어머니한테서 이런 말을 들은 기억이 난다: "아이를 낳으러 방에 들어갈 때는 이런 생각들을 했단다. '벗어놓은 신발을 다시 신을 수 있을지?...'"

실상 과거에는 출산(出産)하는 과정에 세상을 등진 사람들이 많았다. 실로 출산은 막대한 고통을 수반하는 힘든 일이지만, 출생 자체는 너무나 귀한 일이다. 하나의 귀한 새 생명이 이 세상에 탄생하기 때문이다.

그런데 육적 출생보다 더 귀한 출생, 반드시 있어야 할 출산이 있다. 그것은 영적 출생(spiritual birth), 위로부터 나는 출생(Rebirth from Heaven), 곧 하나님께로부터 나는 출생이다.

산헤드린의 회원이자 이스라엘 백성의 랍비인 니고데모('승리자' 혹은 '백성의 정복자')는 나름대로 율법을 준수하면서 경건하게 살아왔지만, 예수의 말씀에 의하면 그는 영적 출생의 비밀과 실재에 대해서 알지 못했을 뿐 아니라 그런 체험이 없었다. 다시 말하면, 그는 천국에 들어갈 자격을 아직 갖추지 못했다. 왜냐하면 그는 영적 출생, 위로부터 나는 출생, 하나님께로부터 나는 출생을 하지 못했기 때문이다. 그는 예수를 주(큐리오스 κύριος)가 아닌 고작 선생(디다스카로스 διδάσκαλος)으로 알고 있었다. 그는 백성의 승리자나 정복자이기는커녕, 자신도 정복하지 못한 위인이었다.

1. 아멘이신 예수

아멘이신 예수는(계 3:14) 중대한 진리를 말씀하실 때마다 "아멘(αμεν) 아멘(αμεν)"으로 시작하셨다.

하나님께서 약속 - 불가능한 현실 속에서 주신 자손의 번성 - 을 주실 때, 믿음의 조상 아브라함은 "아만(אמן 히. Amen 영)"으로 응답했다. 아만(아멘)은 약속하신 말씀을 성취하려는 나의 개인적인 모든 노력을 포기하고 신실하신 하나님의 인격과 말씀을 온전히 신뢰하고 의지하는 것이다. 이것을 하나님은 의로 여기셨다(창 15:6). 그 이후 하나님은 아멘의 하나님(엘에메트 אלאמת 혹은 진리의 하나님)으로 호칭되신다. 아멘의 하나님은 약속하신 말씀을 꼭 지키시는 신실하신 하나님(faithful God)이시다(민 23:19, 삼상 15:29, 사 55:10-11, 46:11).

> "이러므로 땅에서 자기를 위하여 복을 구하는 자는 진리의 하나님(아멘의 하나님)을 향하여 복을 구할 것이요"(사 65:16)

> "내가 나의 영을 주의 손에 부탁하나이다. 진리의 하나님 여호와여 나를 속량하셨나이다"(시 31:5)

예수 자신도 아멘이시다(계 3:14). 즉 그분은 하나님이시다. 하나님이신 예수는 거듭나야 천국에 들어가는 진리를 선포하실 때, "아멘"으로 시작하셨다.

중생하는 진리에 대해 무지한 니고데모는 "다시 나야 한다"(regeneration 重生)는 예수님의 말씀에 우답(愚答)을 했다: "사람이 늙으면 어떻게 날 수 있사옵나이까? 두 번째 모태에 들어갔다가 날 수 있사옵나이까?"(4절). 이스라엘 백성을 가르치고 지도하는 랍비의 영적 지식의 한계를 그는 여실히 드러내고 있다!

자연적 물리적인 출생, 땅의 출생이 아닌 영적 출생에 대해 무지한 그에게, 예수님은 "사람이 물과 성령으로 거듭나야 하나님 나라에 들어갈 수 있다"고 말씀하셨다. 이 땅에서의 육적 출생으로는 하나님 나라의 시민이 될 수 없기 때문이다.

하나님 나라의 시민권은 영적으로 출생한 하나님의 자녀들에게만 주어진다. 하나님으로부터 난 사람은 영적 하나님의 자녀이자 하나님 나라 시민권(빌 3:20)을 갖기 때문에 비로소 하나님 나라(하나님의 장막)에 들어가서 하나님과 함께 영원히 살 수 있다(계 21:3).

2. 거듭남의 길

하나님 나라의 시민으로 다시 출생하기 위해서는 구원의 우물들(사 12:3 이하)에서 물을 길어내야 한다. 그 우물들은 예수 그리스도의 보혈, 말씀의 물, 그리고 성령이다.

1) 예수 그리스도의 보혈

먼저 우리를 거듭나게 하는 것은 십자가에서 흘리신 예수 그리스도의 보혈이다. 하나님의 어린 양 예수(요 1:29, 26)는 우리 죄를 대속하시려고 십자가에서 피 흘리셨다.

> "너희가 알거니와 너희 조상이 물려 준 헛된 행실에서 대속함을 받은 것은 은이나 금 같이 없어질 것으로 된 것이 아니요, 오직 흠 없고 점 없는 어린 양 같은 그리스도의 보배로운 피로 된 것이니라(벧전 1:18-19)

피가 없이는 죄 사함이 없다(히 9:22). 죄 사함을 받기 위해서는 하나님의 어린 양이 죽어서 흘린 피 뿌림을 받아야 한다. 십자가에서 흘리신 어린 양 예수의 피 - 언약의 피(마 26:28)는 우리의 모든 죄를 씻어내며 영원한 속죄를 이룬다(히 9:12). 예수의 피로 속죄함을 받은 거듭난 하나님의 자녀는 칭의(justification 稱義)의 은총을 입으며 하나님의 진노에서 벗어난다.

> "그러면 이제 우리가 그의 피로 말미암아 의롭다 하심을 받았으니 더욱 그로 말미암아 진노하심에서 구원을 받을 것이니"(롬 5:9)

> "너희가 어떻게 우상을 버리고 하나님께로 돌아와서 살아계시고 참되신 하나님을 섬기는지와 또 죽은 자들 가운데서 다시 살리신 그의 아들이 하늘로부터 강림하실 것을 너희가 어떻게 기다리는지를 말하니 이는 장래의 노하심에서 우리를 건지시는 예수시니라"(살전 1:9-10)

구원은 하나님의 진노에서 건짐을 받는 것이다. 하나님의 진노에서 우리를 건지는 것은 예수의 보배로운 피다. 그러므로 누구든지 지은 죄를 회개하고 주 예수 그리스도를 믿는 자는 예수의 보배로운 피로 말미암아 하나님의 새로운 계약 백성에 편입되어 하나님을 기쁘시게 섬기는 '하나님의 가족'(God's family)이 된다(엡 2:19). 가족이란 하나님의 영광스런 자녀 됨이 아닌가!

> "영원하신 성령으로 말미암아 흠 없는 자기를 하나님께 드린 그리스도의 피가 어찌 너희 양심을 죽은 행실에서 깨끗하게 하고 살아 계신 하나님을 섬기게 하지 못하겠느냐?"(히 9:14)

십자가에서 죽임당하여 피 흘리심으로 죄인을 구속하신 하나님의 어린 양의 모형은 출애굽 당시 죽임당하여 피 흘린 어린 양이다. 하나님의 명령대로 이스라엘 백성은 흠 없는 - 흠이 없는 제물인지를 살피기 위해 3일을 간수했다 - 양의 피를 문설주에 바름으로써 죽음에서 구원을 받았다(출 12:1-14).

또한 매년 대속죄일(大贖罪日)에 죽임당한 어린 양도 예수 그리스도의 모형이다. 7월 10일 대속죄일에 대제사장은 양의 피를 가지고 지성소에 들어가서 시은소(施恩所, mercy seat) 위에 뿌린다(레 16장). 이 때 뿌려진 피는 이스라엘 백성의 죄에 대한 하나님의 진노를 달래며(propitiation, 살전 1:10), 하나님과 원수 되었던 이스라엘 백성과 하나님을 화목하게 하며(reconciliation, 롬 3:25), 더 이상 하나님과 갈등하지 않는 관계, 즉 샬롬(shalom, 롬 5:1)을 이루게 한다. 대속죄일에 죽임당한 어린 양의 피-예수의 피는 우리가 지은 모든 죄를 대속한다.

그러면 예수의 피는 누구에게 어떻게 뿌려지는가?

예수의 피는 복음(롬 1:1-4)이신 예수와 예수께서 십자가에서 이루신 일, 즉 복음의 내용 - 우리 밖에서(extra nobis) 우리를 위한, 우리를 대신한, 온 인류를 대표한(pro nobis) 죽음과 장사와 부활(고전 15:3-4) - 을 믿는 자에게 뿌려진다. 그리고 피 뿌림을 받는 통로는 믿음(through faith)이다. 그리고 이 모든 일은 하나님의 은혜의 역사다

예수의 승천 이후 약 30년 간 제자들이 입으로만 전한 이 복음의 내용(복음의 원형, Archetype of the Gospel)을 믿는 자는 의롭다 함을 얻고, 입으로 시인하여 구원을 받는다. 그리고 이것은 하나님이 주시는 은혜의 선물이다:

> "네가 만일 네 입으로 예수를 주로 시인하며 또 하나님께서 그를 죽은 자 가운데서 살리신 것을 네 마음에 믿으면 구원을 받으리라. 사람이 마음으로 믿어 의에 이르고 입으로 시인하여 구원에 이르느니라"(롬 10:9-10)

> "너희는 그 은혜에 의하여 믿음으로 말미암아 구원을 받았으니 이것은 너희에게서 난 것이 아니요 하나님의 선물이라. 행위에서 난 것이 아니니 이는 누구든지 자랑하지 못하게 함이라"(엡 2:8-9)

여기서 개신교의 신앙원리(The principle of Protestantism)가 확연히 잉태된다: 오직 은혜만으로(sola gratia), 오직 그리스도만으로(soli Christi), 오직 믿음만으로(sola fidei), 오직 성경만으로(sola scriptura), 그리고 오

직 하나님께 영광을(Soli Deo Gloria)! 구원에 관한 한, 그 누구도 자랑할 수 없으며, 하나님의 은혜가 나타나지 않으면 받을 수 없기 때문에(딛 2:11), 오직 하나님께만 영광을 돌리는 것이다!

예수의 피 뿌림을 받는 모든 자는 구원의 우물에서 구원의 물을 긷는다.

2) 말씀

두 번째로, 우리는 말씀에서 구원의 물을 길러낸다. 요한일서 5장 6-8절은 말씀을 '물'이라고 한다. 물은 곧 살아있는 하나님의 말씀이다:

> "너희가 거듭난 것은 썩어질 씨로 된 것이 아니요 썩지 아니할 씨로 된 것이니 살아 있고 항상 있는 <u>하나님의 말씀</u>으로 되었느니라"(벧전 1:23)

하나님의 말씀은 우리를 거듭나게 한다. 뿐만 아니라 하나님께서 하시는 모든 역사는 말씀의 역사, 말씀을 통한 역사다: 곧 창조와 창조질서의 보존, 죄 사함과 정결케 함, 고침과 건지심, 고난 중 위로하심, 범죄를 막아주심, 연단, 성도를 온전케 하심, 최후의 불심판, 사탄 마귀를 이길 수 있는 영적 무장 등 모든 것은 하나님의 말씀의 역사이다:

"하나님이 이르시되 빛이 있으라 (말씀)하시니 빛이 있었고"(창 1:3 등)

"그의 능력의 말씀으로 만물을 붙드시며"(히 1:3)

"죄를 정결하게 하는 일을 하시고"(히 1:3)

"그가 그의 말씀을 보내어 그들을 고치시고 위험한 지경에서 건지시는도다"(시 107:20)

"이 말씀은 나의 고난 중의 위로라. 주의 말씀이 나를 살리셨기 때문

이니이다"(시 119:50)

"청년이 무엇으로 그의 행실을 깨끗하게 하리이까 주의 말씀만 지킬 따름이니이다"(시 119:9)

"그가 한 사람을 앞서 보내셨음이여, 요셉이 종으로 팔렸도다. 그의 발은 차꼬를 차고 그의 몸은 쇠사슬에 매였으니 곧 여호와의 말씀이 응할 때까지라. 그의 말씀이 그를 단련하였도다"(시 105:17-19)

"모든 성경은 하나님의 감동으로 된 것으로 교훈과 책망과 바르게 함과 의로 교육하기에 유익하니, 이는 하나님의 사람으로 온전하게 하며 모든 선한 일을 행할 능력을 갖추게 하려 함이라"(딤후 3:16-17)

"이제 하늘과 땅은 그 동일한 말씀으로 불사르기 위하여 보호하신 바 되어 경건하지 아니한 사람들의 심판과 멸망의 날까지 보존하여 두신 것이니라"(벧후 3:7)

"예수께서 대답하여 이르시되 기록되었으되 사람이 떡으로만 살 것이 아니요 하나님의 입으로부터 나오는 모든 말씀(레마)으로 살 것이라 하였느니라 … 또 기록되었으되"(마 4:4, 7)

"그러므로 하나님의 전신갑주를 취하라 … 구원의 투구와 성령의 검 곧 하나님의 말씀을 가지라"(엡 6:13-17)

거듭남은 물, 곧 하나님의 살아있고 영원하신 말씀으로 이루어지는 역사다. 하나님의 말씀을 듣고 믿는 자는 모두가 위로부터의 출생, 하나님께로부터 나는 영적 출생을 경험하게 된다:

"믿음은 들음에서 나며 들음은 그리스도(하나님)의 말씀으로 말미암았느니라"(롬 10:17)

믿음은 기록된 말씀(성경)을 직접 읽거나(예를 들어, 호텔에 투숙했다가 그 호텔에 비치된 성경을 우연히 읽음), 기록된 말씀을 선포(설교와 대중전도)할 때 듣고 믿으면 구원을 받는다(이 때의 믿음은 성령의 감화로 말미암은 것이다).

그런데 우리는 한 걸음 더 나아가 생각할 점이 있다. 그것은 히브리서 기자가 말하는 말씀과 안식의 관계다.

히브리서 기자는 "오늘"(계속해서 오늘을 강조한다) 말씀을 들을 때, 그 말씀에 대해 순종으로 반응하라고 권고한다. 종말론적으로 남은(들어갈) 안식(eschatological rest or sabbath)만이 아니라, 신자는 "오늘" 말씀에 순종으로 반응할 때에 미리 안식에 들어간다(맛본다)는 것이다. 이는 현재의 안식(present rest or sabbath)인 바, 대화적 안식(dialogical rest)이라 할 수 있다.

믿고 구원을 얻은 신자는 종말에 천국에서 안식을 누릴 뿐만 아니라, 현재에도 천국의 안식을 누릴 수 있다. 구원은 죄로 인한 심판과 멸망에서 건짐 받고 천국에 들어가는 것인 바, 거듭난 신자는 말씀에 순종함으로써 "오늘" 천국의 안식을 맛볼 수 있다.

3) 성령

갱도가 무너졌다! 무너진 갱도 안에 갇힌 자는 자력으로 무너진 갱도를 헤쳐 나올 힘이 없다. 그가 구원을 받으려면 구조대원이 밖에서 무너진 갱도를 파헤치며 구조하러 갱도 안으로 들어가야 한다.

마찬가지로, 만일 하나님께서 성령을 통하여 선행은총(先行恩寵,

previous grace)을 주시지 않으면, 우리는 예수 그리스도를 주(主)로 믿고 고백할 수 없다. 그런 면에서 믿음은 인간의 행위가 아니라 하나님께서 주권적으로 주시는 선물이다:

"너희는 그 은혜에 의하여 믿음으로 말미암아 구원을 받았으니 이것은 너희에게서 난 것이 아니요 하나님의 선물이라. 행위에서 난 것이 아니니 이는 누구든지 자랑하지 못하게 함이라"(엡 2:8-9)

이 거저 주시는 은혜의 선물을 믿음으로 받아들이게 도우시는 분은 하나님의 성령이시다:

"그러므로 내가 너희에게 알리노니 하나님의 영으로 말하는 자는 누구든지 예수를 저주할 자라 하지 아니하고 또 성령으로 아니하고는 누구든지 예수를 주시라 할 수 없느니라"(고전 12:3)

하나님의 성령은 진리를 계시하시고, 진리이신 예수(요 14:6)를 믿으므로 거듭나게 하시고, 거듭난 자를 성화(聖化, sanctification)와 영화(榮化, glorification)로 이끄신다:

"미리 정하신 그들을 또한 부르시고 부르신 그들을 또한 의롭다 하시고 의롭다 하신 그들을 또한 영화롭게 하셨느니라"(롬 8:30)

우리는 예수 그리스도의 피, 말씀, 그리고 성령의 역사로 구원받는다. 그리고 이 세 가지 구원의 우물들에는 우리가 찾는 물이 항상 가득 차 흘러넘

친다. 누구든지 목마른 자들은 와서 값없이 퍼마시기만 하면 된다:

> "오호라, 너희 목마른 자들아 물로 나아오라. 돈 없는 자도 오라 너희는
> 와서 사 먹되 돈 없이, 값없이 와서 포도주와 젖을 사라. 너희가 어찌하
> 여 양식이 아닌 것을 위하여 은을 달아 주며 배부르게 하지 못할 것을
> 위하여 수고하느냐"(사 55:1-2)

3. 벗어던져야 할 가면

다른 한편, 우리는 니고데모에게 하신 예수님의 말씀을 심리학적으로 해
석할 수 있다.

니고데모는 가면(假免 mask - 인격 personality의 본뜻은 가면'페르조
나 persona'이다)을 쓰고 있었다. 율법을 흠 없이 지키느라 온 힘을 쏟은
그는, '이쯤이면 나는 거룩한 하나님의 백성이야, 의로운 백성이야! … 그 누
가 나만큼 의롭겠어?…' 하고 자위했다. 그는 내심 하나님 나라는 따 놓은
당상이라 여겼다. 그런 그를 향해 예수님은 "네가 만일 거듭나지 않으면 하
나님 나라를 볼 수 없다": 즉 "너의 그 위선적인 가면(mask)을 벗지 않으면
하나님 나라를 볼 수 없다"고 말씀하셨다.

바나 리서치(BRG)에서 중생에 관하여 미국 기독교인 4천 명을 대상으로
조사했는데, 중생의 체험을 한 자는 33%에 불과했다고 한다. 그 나머지는
니고데모처럼 가면을 쓰고 있었다는 것이다.

수많은 사람들은 가면 뒤에 숨어서 살아간다. 그런데 지식의 가면, 명예
의 가면, 권력의 가면, 가문과 혈통의 가면을 벗지 않으면 하나님 나라에
들어갈 수 없다. 믿는 자를 의롭다 하시는 하나님의 의를 모르고 자기의

(自己義)의 가면 뒤에 숨는 사람은 결코 하나님 나라에 합당한 자가 될 수 없다.

물론 가면은 한 사람과 외부 세계를 연결해 주는 긍정적인 교량이긴 하지만, 가면이 강화되면 자아가 팽창(ego inflation)하게 되고, 자아가 팽창되면 위선자(hypocrite)가 된다. 예수 앞에서 우리가 쓰고 있는 가면을 벗을 때, 즉 "오! 주여 나는 죄인이로소이다. 나를 구원하소서!" 하고 의인인 체하는 위선의 가면을 벗어던지는 연약한 죄인의 모습으로 주님 앞에 설 때 비로소 천국문은 열릴 것이다.

* 아직도 가면을 쓰고 있는가?

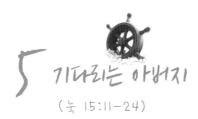

5 기다리는 아버지
(눅 15:11-24)

어떤 사람에게 두 아들이 있는데, 그 둘째가 아버지에게 말하되 아버지여 재산 중에서 내게 돌아올 분깃을 내게 주소서 하는지라. 아버지가 그 살림을 각각 나눠 주었더니 그 후 며칠이 안 되어 둘째 아들이 재물을 다 모아 가지고 먼 나라에 가 거기서 허랑방탕하여 그 재산을 낭비하더니, 다 없앤 후 그 나라에 크게 흉년이 들어 그가 비로소 궁핍한지라. 가서 그 나라 백성 중 한 사람에게 붙여 사니 그가 그를 들로 보내어 돼지를 치게 하였는데 그가 돼지 먹는 쥐엄 열매로 배를 채우고자 하되 주는 자가 없는지라. 이에 스스로 돌이켜 이르되 내 아버지에게는 양식이 풍족한 품꾼이 얼마나 많은가 나는 여기서 주려 죽는구나. 내가 일어나 아버지께 가서 이르기를 아버지 내가 하늘과 아버지께 죄를 지었사오니 지금부터는 아버지의 아들이라 일컬음을 감당하지 못하겠나이다. 나를 품꾼의 하나로 보소서 하리라 하고, 이에 일어나 아버지께로 돌아가니라. 아직도 거리가 먼데 아버지가 그를 보고 측은히 여겨 달려가 목을 안고 입을 맞추니, 아들이 이르되, 아버지 내가 하늘과 아버지께 죄를 지었사오니 지금부터는 아버지의 아들이라 일컬음을 감당하지 못하겠나이다 하나 아버지는 종들에게 이르되 제일 좋은 옷을 내어다가 입히고 손에 가락지를 끼우고 발에 신을 신기라. 그리고 살진 송아지를 끌어다가 잡으라 우리가 먹고 즐기자. 이 내 아들은 죽었다가 다시 살아났으며 내가 잃었다가 다시 얻었노라 하니 그들이 즐거워하더라(눅 15:11-24)

미국의 언론인 윌리엄 허스트는 고(古) 미술품 수집광이었다. 어느 날 그는 유럽 왕가에서만 사용하였다는 신기한 도자기가 있음을 알게 되었고 그것이 탐이 났다. 돈이 얼마나 들든지 꼭 갖고 싶어 여러 해 동안 유럽 전역을 돌며 그 도자기의 자취를 추적하느라 온갖 정열을 다 쏟았다.

그러던 어느 날, 미국의 한 언론인 사업가가 그 도자기를 오래 전에 사 갔음을 알게 되었다. 그래서 그는 그 사람을 찾고 또 찾았다. 그런데 그 도자기를 갖고 있는 사람은 다른 사람이 아니라 바로 자기 자신이었던 것이다.

이 이야기는 자아상실이라는 병에 걸려 있는 현대인의 모습을 반영하고 있다. 아버지 집을 떠난 탕자는 자아상실 병을 앓다가 불행 중 다행으로 그를 기다리는 아버지 품으로 되돌아옴으로 이 병에서 자유함을 얻는다.

오늘 본문을 비롯하여 잃은 양 비유, 드라크마 비유들 속에 들어 있는 중요한 한 가지 테마는 '아버지의 사랑'이다.

양의 비유를 보면, 잃어버린 한 마리 양은 문제 양이다. 목자의 음성을 듣지 않고 제 고집대로 행하다가 길을 잃었다. 그러나 목자는 선한 목자이므로 그 문제 양을 찾아 나선다. 찾았을 때 얼마나 기쁜지 동네 사람들을 불러 모아 잔치를 벌인다. 하나님 아버지는 죄인 하나가 회개하고 돌아오는 것을 기뻐하시는 사랑의 하나님이시다!

한 드라크마의 가치는 우리 돈으로 불과 얼마 되지 않은 작은 돈(약 600원)이다. 그런데 잃은 한 드라크마를 찾느라고 여인은 거의 하루를 허비한다. 불을 켜고 빗자루로 쓸며 한 드라크마를 찾는다. 그리고 찾은 후에는 얼마나 기뻐하는지 모른다. 한 드라크마를 찾았다고 그렇게 기뻐할 이유가 있을까?

그렇다. 예수님 당시는 남자가 여인에게 사랑과 결혼의 증표로 드라크마 10개를 주었다. 그러므로 하나라도 잃어버리는 것은 큰 실수요 수치다. 드라크마는 비록 가치는 적지만 비교할 수 없는 의미를 간직하고 있다.

오늘 본문은 집을 나간 둘째 아들 탕자와 그의 돌아옴에 초점이 있는 것이 아니라, 기다리는 아버지의 친밀한 사랑에 있는 것이다.

1. 아버지를 떠난 탕자(심미적 실존-자기를 상실한 인간)

둘째 아들은 문제아(問題兒)다. 둘째 아들은 아버지와 아버지의 집이 싫었다. "아버지 집에서는 행복하지 않다. 아버지 집 밖에 행복이 있다."라고 생각한 것이 문제요 잘못이다. 마찬가지로 "교회 안에서 믿음생활 하는 것이 답답하다. 세상이 더 재미있다."라고 생각하는 것이 오류다.

둘째 아들은 대문을 박차며, "이놈의 집구석, 내가 다시 들어오나 봐라!" 하고 집을 뛰쳐나갔다. 그는 미리 상속받은 재산을 불의한 친구들과 창기와 다 써버렸다. 그러나 예상치 못한 흉년과 기근이 찾아와, 그는 생존하기 위해 돼지 치는 종으로 전락한다. 돼지는 더러움의 상징이기도 하지만 유대인이 가장 혐오하는 짐승이다. 유대인에게 돼지는 '부정'(不淨)의 상징이다.

아버지를 떠난 인간은 행복을 찾을 수도 누릴 수도 없다. 인간이 하나님을 떠나면 반드시 한계상황에 빠지게 된다. 자유와 행복을 찾는데 왜 한계상황에 빠지는가? 그래서 쇠렌 키르케고르(Soren Kierkegaard)는 이것을 모순(contradiction)이라 했다. "자유와 행복이 교회가 아닌 세상에 있다."라고 생각하는 것이 문제다. 불행의 시초다.

하나님을 떠난 인간은 돼지우리에 붙어살며, 돼지가 먹는 쥐엄 열매조차도 얻지 못하는 돼지보다 못한 인간으로 전락한다. 즉 자기 이하의 존재로 전락하는 것이다. 돼지 같은 인간 'Hog'은 자신(Himself)을 첫 번째 자리에 놓고, 다른 사람들(others)을 그 다음에, 그리고 하나님(God)을 꼴찌에 놓는 사람, 돼지(hog: '야비한 놈, 욕심 많은 놈, 돼지 같은 놈') 같은 사람이라는 뜻이다.

2. 뉘우치는 탕자(윤리적 실존-자기를 발견한 인간)

탕자는 먼저, 자신의 죄를 깨닫는다. 이는 지적(知的) 회개다. "스스로 돌이켜"는 자기 자신에게 돌아왔다(He came to himself)는 뜻이다. 둘째로, 애통한다. 이는 정적(情的) 회개다. "나는 아들의 신분으로는 아버지 집에 돌아갈 수 없다"는 가장 큰 슬픔을 나타낸다. "나는 아버지 집에서 일하는 종보다도 더 못한 사람이다. 품꾼 밖에 되지 못한다. 그래서 품꾼으로 써 달라고 말씀드려야겠다." 하고 아버지 집으로 돌아가기로 마음을 먹는다. 좋은 말 그대로 좋이지만, 그래도 아버지 집에 거하며 안정된 생활을 할 수 있지만, 품꾼은 말 그대로 품꾼이다. 일이 있으면, 혹은 주인이 필요로 하면 하루의 노동을 팔 수 있지만 내일에 대한 보장이 없다. 셋째로, 둘째 아들 탕자는 돼지우리에서 일어나 아버지 집으로 돌아온다. 의지적(意

志的) 회개다. 키르케고르는 이것을 비약(leap)이라고 했다.

3. 돌아온 탕자(종교적 실존)

집을 나간 아들을 아버지는 학수고대 기다린다. 매일 동구 밖을 내다본다. 그런데 형편없는 몰골을 한 아들을 아버지는 금방 알아본다. 그리고 그 아들을 향해 쏜살같이 달려간다.

아버지는 체면과 명예를 버리고 아들에게로 달려간다. 통옷을 걷고 하체를 드러낸 채로. 만일 늦으면, 동구 밖에서 아들이 동네 사람들에 의해 추방되거나 돌에 맞을 가능성이 있기 때문이다.

그 당시는, 아버지에 대한 모독은 동네에 대한 모독으로 간주되었다. 만일 동네 어른들이 아들을 받아들이지 않으면 그 아들은 집으로 돌아올 수 없는 영원한 미아(迷兒)가 되는 것이다. 그래서 아버지는 동네 사람들이 모여들기 전에 아들을 받아들이기 위해, 아니면 모여들어 자기 아들을 추방하려는 동네 사람들을 설득하기 위해 권위고 체통이고 뭐고 할 것 없이 아들을 살리려 정신없이 달려간 것이다. 아버지는 돌아온 아들을 위해 모든 것을 다 버렸다!

아버지는 돼지 똥이 묻어 구린 냄새나는 더러운 아들을 얼싸안는다. 그 얼굴에 입맞춤을 한다. 얼른 집으로 데리고 들어와 목욕시키고, 제일 좋은 옷을 내어다 입히고, 신발을 신겨주었다.

여기서 "제일"이란 프로텐(πρωτην)은 시간, 장소, 물질 관심, 사랑의 우선순위이며, 요한계시록 2장 5절의 "처음 사랑"의 '처음'에 해당하는 말이다. 아버지는 아들을 처음 사랑 그대로 사랑하는 것이다. 마태복음 22장 40절의 "강령"(hang)과도 같은 말이다. 사랑이 없으면 아무 것도 아니라는 말인데, 아버지의 사랑은 변함없는 친밀한 사랑이란 말이다.

아버지는 아들이 낭비한 돈과 시간에 대해서는 관심 없다. 아들이 집으로 돌아온 것 하나만으로도 족하다. 아들을 사랑하는 아버지의 마음이다.

파스칼은 인간을 세 부류로 나눠 말했다. 물질적 인간, 도덕적 인간, 그리고 종교적 인간 혹은 사명적 인간. 아들은 이제 새로운 존재가 된 것이다.

4. "품꾼 사고"의 해결

아들이 아버지 품으로 돌아왔으나 문제가 남아 있다. 그것은 아들 안에 있는 품꾼 사고(思考)다. 아버지는 아들 안에 있는 품꾼 사고를 다루어야 한다. 아들이 아버지 집으로 돌아왔지만, 이 품꾼 사고를 갖고 있는 한 결코 행복할 수 없다. 품꾼 사고를 갖고 있다면, 산해진미의 밥상에 앉아 밥을 먹어도 밥맛이 있고 행복하겠는가? 고급스런 거실 안락의자에 편히 앉아도 마음과 몸이 편할까? 제일 좋은 옷을 입어도 행복할까? 훌륭한 오락 시설을 갖추고 있어도 사는 재미가 있을까? 결코 행복할 수 없다!

그래서 아버지는 아들 안에 있는 품꾼 사고를 처리하기 위해, 아들 됨의 지위 회복을 증명하기 위해 손에 끼고 있는 가락지(가문 인장)를 빼어 아들의 손가락에 끼워주었다: 그 의미는 '너는 내가 사랑하는 아들, 내게 특별한 존재다'(You are special to me)라는 것이다. 이는 아들에 대한 아버지의 변치 않는 사랑을 나타낸 것이다.

아들은 이 가락지를 볼 때마다 '아!, 나는 아버지의 아들이구나!' 하고 자신의 정체성에 대해 확신을 가질 수 있었고, 죄책에서 벗어나 아들다운 삶을 누릴 수 있었던 것이다.

하나님의 아들 예수의 피로 구속받은 우리는 하나님의 자녀의 권세(엑수시아. 요 3:16)를 받아서 하나님을 "아빠 아버지"(Abba, Father)라 부른다.

> "무릇 하나님의 영으로 인도함을 받는 사람은 곧 하나님의 아들이라"(롬 8:14)

성령의 인치심은 아버지가 돌아온 둘째 아들에게 끼워준 가락지다.

> "그가 또한 우리에게 인치시고 보증으로 우리 마음에 성령을 주셨느니라"(고후 1:22)

> "성령이 친히 우리의 영과 더불어 우리가 하나님의 자녀인 것을 증언하시나니"(롬 8:16)

그뿐인가? 좋은 신발을 신을 수 없다. 아들만이 신발을 신을 수 있다. 기다리는 아버지는 돌아온 둘째 아들에게 신발을 신겨주었다. 아들 됨의 표지를 부여한 것이다.

그리고 잔치를 베풀어 동네 사람들, 종들 모두를 이 기쁨의 잔치에 초대한다. 기다리는 아버지에게는 이보다 더 기쁜 일이 없다!

하늘 아버지는 우리가 진정으로 회개하고 아버지께로 돌아갈 때 지은 죄를 용서해주시고 변치 않는 사랑을 부어주실 뿐만 아니라, 우리 안에 남아 있는 품꾼 사고, 즉 죄책감을 말끔히 처리해 주시는 사랑의 하나님이시다.

이 하늘 아버지는; 기다리는 아버지(waiting father), 주시하는 아버지

(looking father), 달려가는 아버지(running father), 포옹하는 아버지 (hugging father), 입맞춤하는 아버지(kissing father), 용서하는 아버지 (forgiving father), 잔치를 베푸는 아버지(partying father), 주는 아버지 (giving father), 춤추는 아버지(dancing father)이시다!

* 아직도 방황하고 있는가?
  아직도 하늘 아버지께 돌아오기를 망설이고 있는가?

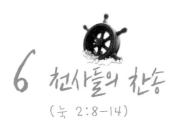

6 천사들의 찬송
(눅 2:8-14)

지극히 높은 곳에서는 하나님께 영광이요 땅에서는 하나님이 기뻐하신
사람들 중에 평화로다(눅 2:14)

크리스마스가 되면 마음이 우울해지는 많은 사람들이 있겠지만, 그 중에
도 특히 고아들의 마음은 더 우울할 것이다. 따뜻한 부모의 사랑을 그리워
하는 고아들은 연중 어느 날보다도 성탄절에 가정에서 부모와 자녀들이 갖
는 성탄 행사를 바라보며 우울해할 것이다.

우리도 예전에는 고아였다. 하나님이 안 계시는 사람, 즉 하나님이 창조
하신 우주에 무임승차했지만, 하나님을 부인하는 불신앙의 사람은 누구나
우주의 미아(迷兒), 우주의 고아다.

그런데 하나님은 우리를 고아로 버려두지 아니하시고 예수 그리스도를
통하여 그분의 자녀로 삼아주셨다. 우리 모두는 하나님의 기뻐하심을 입은
자, 곧 형언할 수 없는 큰 구원의 은총을 입은 자다. 우리의 믿음 하나를 보
시고 - 실상 믿음 자체도 하나님이 주시는 은사이지만 - 거룩하신 하나님은

우리를 하나님의 기뻐하시는 자녀로 받아들여 주셨다.

그럼에도 불구하고 오늘 우리의 마음은 어떠한가? 하나님 아버지를 잃어버린 영적 고아 혹은 미아로 살고 있는 것은 아닌가? 예수님은 사관에 머물 곳이 없었던 것처럼, 오늘 우리의 마음에 들어오지 못하시고 바깥 추운 데 계신 것은 아닌가?

1. 예수 모실 방을 위한 준비

예수께서 태어나신 밤은 인류 역사의 분깃점이다. 아담으로부터 모든 인류는 이 밤을 고대했다. 선지자 에녹으로부터 세례 요한에 이르기까지, 이 밤에 오실 그 분의 길을 예비해왔다. 인간을 죄에서 구원하시려고, 인간의 본성을 깨끗하게 하시려고 말씀이 육신이 되셨다. 성탄은 모든 인류의 구원을 위한 축제다.

그러나 말씀이 육신이 되어 세상에 오셨을 때, 그 분이 누우실 방 한 칸이 없었다. 아무도 그에게 방을 드리지 않았다.

지금도 마찬가지가 아닐까? 캐럴 송을 부르고 휘황찬란한 크리스마스 행사를 해도, 그 분을 모실 방이 과연 우리 마음에 있는 것일까? 예수님은 지금도 들어가실 방을 찾고 계신다.

R. 사우스웰은, 〈그리스도를 위한 방은 없네〉라는 글을 썼다:

예수는 구유에 누웠네.
그의 천사들은 찬송을 불렀네. 그의 오심을 기뻐하면서.
그러나 예수를 위한 방은 없었네.

오, 나의 형제자매여. 지혜롭다고 자처하는 자들이여!

우리는 그들보다 나은가?

우리는 예수를 위한 방을 준비했는가?

우리의 삶에서 빌라도를 위한 방, 헤롯을 위한 방은 있어도

갈보리 예수를 위한 방은 없네.

환락을 위한 방, 사업을 위한 방은 있어도

베들레헴에 방은 없었네.

구유 밖에는.

우리의 구원과 부요를 위해 오신 예수 그리스도! 그 분을 위한 방 한 칸 없었고, 머리 둘 곳 한 군데 없었고, 묻힐 무덤 하나 없었다.

그런데 그 분을 모실 우리의 마음의 방은 있는 것일까? 혹 그분을 문 밖에 세워두고 있지는 않는가? 지금 예수 그리스도는 들어가실 우리의 마음의 방을 필요로 하신다.

주 예수 대문 밖에 기다려 섰으나

단단히 잠가두니 못 들어오시네

나 주를 믿노라고 그 이름 부르나

문 밖에 세워두니 참 나의 수치라

〈빈 방 있습니까?〉라는 연극이 있다.

어느 주일학교 선생이 크리스마스 연극을 준비하면서 고민이 생겼다. 학생 중에 조금 모자라는 아이가 있는데, 연극에 넣자니 고민, 빼자니 고민이

되었다. 그래서 제일 쉬운 여관의 주인 배역을 맡기기로 했다. 단 두 마디만 하는 배역인데, 호적 하러 가는 마리아와 요셉이 문을 두드리면서 "여보세요, 주인님. 거기 방 있으면 하나만 좀 주세요." 하면 나와서 "없습니다. 우리 집엔 빈 방이 없습니다." 하고 안으로 들어가는 것이었다. 그러다가 배부른 마리아와 요셉이 다시 와서 "제발 허름한 방이라도 좋으니 있으면 주세요. 아내가 좀 있으면 아이를 낳을 것 같아서요." 하고 애원하면, 주인은 다시 나와서 "안 됩니다. 우리 집엔 빈 방이 없습니다." 이렇게 두 마디만 하면 되는 역할이었다.

드디어 공연 일이 되었다. 마리아와 요셉이 문을 두드린다. 주인 배역을 맡은 약간 모자라는 아이가 나왔다. 막(幕) 뒤에서 선생님이 읽어 준 대사를 그대로 하여 처음에는 잘 넘겼다.

그런데 두 번째 장면이 되었을 때 문제가 생겼다. 그 좀 모자라는 아이가 또 대사를 잊어먹은 것이었다. 선생님은 또 대사를 읽어주었다. "안 됩니다. 우리 집엔 빈 방이 없습니다." 그래서 그 아이는 거기까지 잘 따라했다. 그런데 무대 뒤로 들어가는 것을 잊어버리고 멍하니 서 있었다. 그리고는 요셉과 마리아에게 "들어 와, 들어 와." 하고 큰 소리를 치는 것이 아닌가. 대사에도 없고 성경에도 없고, 시키지도 않은 얘기를 그가 해버린 것이었다.

순간 무대와 관객은 조용해졌다. 선생님의 얼굴은 확 달아올랐다. 그 선생님은 연극을 완전히 망쳤다고 생각했는데, 연극을 보고 있던 사람들의 얼굴을 살펴보니 오히려 감동을 받고 은혜를 받은 표정이었다. "그렇지, 주님이 주무실 방은 있지. 아무리 비좁아도, 다른 사람이 잘 방은 없어도 주님이 주무실 방은 있지." 하는 생각이 들면서 우리 마음의 방에 예수님을 모셔야 된다는 것을 깊이 깨닫게 되었다는 것이다.

문 밖에 계신 그리스도! 그 분을 마음의 방 중심에 모셔 들이자! 예수를 믿노라고 떠들지만, 우리의 인격과 삶에는 변화가 없다. 그 이유는, 우리가 교회 안에 있지만 예수께서 우리 안에 계시지 않기 때문이다. 우리가 예수 안에 있지 않기 때문이다.

여기 돈 지갑이 있다. 돈 지갑은 말 그대로 돈을 넣어 두는 곳이다. 이 지갑에 만 원짜리 한 장이 들어있다. 그런데, 여기 종이 한 장이 있다. 이 종이를 얼마동안 돈 지갑에 넣어두면 돈이 될까? 10년? 20년? … 그렇다! 아무리 오래 넣어두어도 종이는 돈이 되지는 않는다. 믿음생활을 오래 했다고 자부해도(오랫동안 교회 다녔다 해도), 예수님을 인격으로 영접한 참된 '본 어게인 크리스천'(born again Christian: 거듭난 신자)이 아니면 하늘나라에 들어갈 수 없는 것이다.

2. 하늘에서는 하나님께 영광!

Gloria in excellsis Deo!(높이 계신 하나님께 영광을!)

영광의 하나님이 사랑하는 독생자 예수를 세상에 보내신 것은, 그 아들을 죄로 말미암아 멸망 받을 우리를 위한 화목제물로 내어주시기 위함이었다.

"하나님이 세상을 이처럼 사랑하사 독생자를 주셨으니 이는 그를 믿는 자마다 멸망하지 않고 영생을 얻게 하려 하심이라"(요 3:16)

요한은 그가 쓴 복음에서 보내심의 공식(sending formula)과 내어줌의 공식(giving formula)을 두 프레임(frame)으로 삼고 있다. 하나님은 아들 예수를 자신의 뜻을 행하실 전권 대사(agent)로 세상에 보내실 뿐 아니라, 화목제물로 내어주셨다. 그 근거는 하나님의 조건 없는 무조건적인 아가페 (agape) 사랑이다. 마치 하나님을 사랑한 아브라함이 아들 이삭을 아낌없이 드린 것처럼.

예수님은 십자가 위에서 "다 이루었다"(테텔레스타이)고 선언하셨다. 이는 내가 빚을 다 갚았다(the debt is paid)는 뜻이다. 우리가 지불해야 할 죄의 삯(롬 6:23)을 십자가에서 다 지불하신 것이다. 예수는 하나님의 보내신 뜻을 십자가에서 다 이루셨다.

죽음의 순간에 성현들은 이렇게 말했다:

> 공자: "태산이 무너지는 것 같구나."
> 석가: "모든 사람이 다 가는 길인데…"
> 소크라테스: "닭 먹은 외상 값 갚아 달라."
> 톨스토이: "진리는 사랑스럽구나."
> 칸트: "좋다…"
> 괴테: "좀 더 빛을."
> 장충동 족발집 할머니: "돼지고기는 얇게 썰어라."

이들은 나름대로 각자 유언을 남겼지만, 인류 역사의 큰 변화에는 아무 상관이 없다. 그러나 예수는 십자가 위에서 인류 구원의 사명을 완수하심으로써 하나님께 영광을 돌리셨다! Soli Deo Gloria! (하나님께 영광!)

3. 땅 위에는 평화!

예수는 이 땅에 평화를 주시려고 평화의 왕(King of peace)으로 오셨다. 하나님의 원수였던 우리(골 1:21)를 하나님과 화해시켜 화평을 이루시고 또한 미움과 증오, 질시와 반목, 조종과 착취로 갈등관계 속에서 살아가는 세상 사람들 사이에 화평을 창조하시려고 이사야 선지자가 예언한바 평화의 왕으로 세상에 오셨다.

> "이는 한 아기가 우리에게 났고 한 아들을 우리에게 주신 바 되었는데, 그의 어깨에는 정사를 메었고 그의 이름은 기묘자라, 모사라, 전능하신 하나님이라, 영존하시는 아버지라, 평강의 왕이라 할 것임이라"(사 9:6)

평화의 왕을 모시는 곳에는 그것이 개인관계이든 집단관계이든 국가관계이든 평화가 이루어진다.

아르헨티나와 칠레 사이의 국경에 위치한 해발 3,832m의 우스파야타 고개에는 예수님 동상이 하나 있다. '안데스의 예수님 상(像)'이라고 불리는 이 청동상은 양국의 국경분쟁이 평화롭게 타결된 것을 기념하여 1904년에 제작되었는데 그 배경은 이렇다.

남미의 아르헨티나와 칠레는 국경 문제로 늘 분쟁했고 유혈사태까지 발생했다. 그러나 1900년 부활주일 아침, 아르헨티나의 한 성직자가 평등과 우정을 맺게 하는 산 소망이신 예수 그리스도를 아르헨티나에서 증언하고 유혈사태가 벌어지고 있는 국경을 넘어 칠레까지 왔다. 한 사람의 노력이 화친의 씨가 되어 두 나라는 화해의 결실을 맺기에 이르렀다. 두 나라의 무기는 무용지물이 되었고, 군함은 상선으로 개조되었고, 군수공장은 공업학교로 전환되었다. 두 나라는 대포를 녹여 국경에다 예수 그리스도의 상(像)을 세우기로 결정했다. 1904년 3월 13일, 예수의 동상 제막식이 거행되었고, 두 나라 국민은 하나님 앞에 무릎 꿇고 함께 기도했다. 동상 밑에는 "구주 예수의 발밑에서 끝까지 유지하기로 서약한 평화를 아르헨티나와 칠레 중 어느 한 나라라도 깼다면 즉시 이 동상도 깨어지리라. 우리는 이 기념상을 세계에 봉헌한다. 이 동상에 의하여 온 세계는 잊어서는 안 될 평화에 대한 큰 교훈을 배울 것이다."라고 새겨놓았다.

동상은 그 후 100년 동안 양국의 평화의 메시지를 전하며 굳건히 제 위치를 지키고 있다. 그런데 착공되던 당시에는 동상의 방향을 두고 한바탕 소란이 일기도 했다. 지형과 여러 가지 조건들을 따지다보니 동상이 자연스럽게 아르헨티나 쪽을 바라보게 되었다. 그러자 칠레 국민들 사이에서 불만의 목소리가 새어나왔다:

"왜 우리에게 등을 돌리고 있어? 저들에게만 예수님의 축복이 임하라는 거야?"

칠레 사람들의 원성이 커지자 양국 간 화해의 분위기에도 차츰 금이 가기 시작했다. 다행히 이 난국을 해결한 것은 어느 기자의 재치 있는 기사 한 문장이었다. 예수님 상을 취재한 기자는 기사 말미에 예수님 상이 칠레에 등을 돌린 이유를 이렇게 풀이했다:

"예수님 상이 아르헨티나 쪽을 향하고 있는 것은 그 나라가 아직 더 많이 돌봐줘야 할 나라이기 때문이다."

기사를 접한 칠레 국민들은 더 이상 예수님 상의 방향을 문제 삼지 않았다. 새롭지만 전혀 어렵지 않은 해법을 제시한 기자의 재치로 양국은 계속 평화 관계를 유지할 수 있었다.

남북 전쟁 당시 '스포트 실비니아' 지역에서 남군과 북군은 대치하여 전쟁을 하고 있었다. 북군은 노예해방을 주장했던 반면, 남군은 목화밭이 많았던 고로 노예해방을 반대하여 전쟁을 하게 된 것이었다. 이들은 산을 가운데 두고 전쟁하다가 노을이 질 때에 북군이 성조기 노래를 불렀다. 이 노래 소리가 남군의 진에 들리니 남군도 지지 않을세라 딕시랜드 노래를 힘껏 불렀다. 이제는 때 아닌 노래 싸움이 붙었던 것이다. 북군은 '홈 스위트 홈'(즐거운 나의 집)이란 노래를 불렀다. 30~40분이 지나 북군과 남군 모두가 두고 온 집과 가족을 생각하며 이 노래를 함께 부르기 시작했고, 지휘관들은 서로 의논하여 24시간 동안 휴전하기로 약속했다. 짧은 기간의 평화였지만 모두의 마음에 평화의 중요성에 대한 깨달음이 있었다.

유럽의 프랑스를 지나 이태리로 지나다보면 모나코라는 아주 작은 나라가 있다. 너무 작은 나라이기에 세상 사람들에게 잘 알려지지 않았는데, 유명한 여배우 그레이스 켈리를 왕비로 맞이해 세기의 주목을 받았던 나라다. 이 나라 국민들은 음악을 사랑하며, 범죄가 없는 평화로운 나라이다. 이 나라에는 유명한 국립합창단이 있는데, "사랑과 평화의 노래"를 불러 사람들의 마음을 사로잡는다. 단원은 85명이다. 이 나라의 군인은 82명뿐이다. 육해공군을 합친 수보다 합창단 수가 더 많다. 그들은 평화를 가져다주는 아름다운 음악을 연주한다.

평화의 왕 예수 그리스도를 따르는 그리스도인은 세상에서 평화를 만드는 사람들(The Peacemakers)이다. 그렇다면 우리는 "오, 주여! 나를 평화의 도

구로 사용해주소서!"라고 기도한 프란체스코처럼 평화의 사도가 되기를 위
해 기도하고 힘써야 한다. 그는 이렇게 기도했다:

주여 나를 평화의 도구로 써 주소서

미움이 있는 곳에 사랑을,

다툼이 있는 곳에 용서를,

분열이 있는 곳에 일치를,

의혹이 있는 곳에 믿음을,

그릇됨이 있는 곳에 진리를,

절망이 있는 곳에 희망을(중략)

열매가 없는 믿음은 죽은 믿음이다(약 2:26). 만일 평화의 왕 예수 그리
스도를 믿고 따른다고 하면서 우리의 삶에서 평화를 산출하지 않는다면,
그 믿음은 죽은 믿음이다.

살아 역사하는 믿음의 최후 종착지는 사랑이며, 사랑의 열매는 평화다.
테레사는 말했다: "침묵의 열매는 기도이고, 기도의 열매는 신앙이며, 신앙
의 열매는 사랑이고, 사랑의 열매는 평화이다."

* 예수님을 영접할 마음의 방이 준비되었는가?

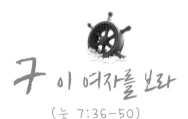

구 이 여자를 보라

(눅 7:36-50)

한 바리새인이 예수께 자기와 함께 잡수시기를 청하니 이에 바리새인의 집에 들어가 앉으셨을 때에 그 동네에 죄를 지은 한 여자가 있어 예수께서 바리새인의 집에 앉아 계심을 알고 향유 담은 옥합을 가지고 와서 예수의 뒤로 그 발 곁에 서서 울며 눈물로 그 발을 적시고 자기 머리털로 닦고 그 발에 입맞추고 향유를 부으니 예수를 청한 바리새인이 그것을 보고 마음에 이르되 이 사람이 만일 선지자라면 자기를 만지는 이 여자가 누구며 어떠한 자 곧 죄인인 줄을 알았으리라 하거늘 예수께서 대답하여 이르시되 시몬아 내가 네게 이를 말이 있다 하시니 그가 이르되 선생님 말씀하소서. 이르시되 빚 주는 사람에게 빚진 자가 둘이 있어 하나는 오백 데나리온을 졌고 하나는 오십 데나리온을 졌는데 갚을 것이 없으므로 둘 다 탕감하여 주었으니 둘 중에 누가 그를 더 사랑하겠느냐. 시몬이 대답하여 이르되 내 생각에는 많이 탕감함을 받은 자니이다. 이르시되 네 판단이 옳다 하시고 그 여자를 돌아보시며 시몬에게 이르시되 이 여자를 보느냐 내가 네 집에 들어올 때 너는 내게 발 씻을 물도 주지 아니하였으되 이 여자는 눈물로 내 발을 적시고 그 머리털로 닦았으

며 너는 내게 입맞추지 아니하였으되 그는 내가 들어올 때로부터 내 발

에 입맞추기를 그치지 아니하였으며 너는 내 머리에 감람유도 붓지 아

니하였으되 그는 향유를 내 발에 부었느니라. 이러므로 내가 네게 말하

노니 그의 많은 죄가 사하여졌도다 이는 그의 사랑함이 많음이라 사함

을 받은 일이 적은 자는 적게 사랑하느니라. 이에 여자에게 이르시되 네

죄 사함을 받았느니라 하시니 함께 앉아 있는 자들이 속으로 말하되 이

가 누구이기에 죄도 사하는가 하더라. 예수께서 여자에게 이르시되 네

믿음이 너를 구원하였으니 평안히 가라 하시니라(눅 7:36-50)

시대와 국가와 문화를 초월하여 역사적으로 여성은 차별과 냉대를 받아

왔다. 임권택 감독의 〈씨받이〉는 제44회 베니스 국제영화제에서 강수연에

게 최우수 여우주연상을 선사했다. 우리 문화가 지닌 씨받이 풍습은 여자

의 숙명을 단적으로 그려준다.

씨받이로 들어간 여인은 그 순간부터 목적을 상실한 '기능성 인간'으로 전

락되어 소기의 목적을 달성하면 용도폐기 되어야 했다. 요즈음 씨받이를 대

신하는 말이 '대리모'다. 대리모란 정자와 난자를 체외 수정시킨 뒤에 그 수

정란을 위해서 자신의 자궁을 빌려주는 제3의 여성을 지칭하는 말이다. 역

할이 기능적이라는 면에서 씨받이나 대리모는 같은 운명이다.

성경의 마르다와 마리아 이야기에서도 자칫 편견이나 차별을 하는 경향

이 있다(눅 10:38-42). 마르다가 한 일은 '디아코니아'(service, ministry)

다. 이는 제자직분이다. 고린도후서 3장 7-8절에서는 그리스도의 직분에 사

용되었고, 로마서 11장 13절에서는 이방인을 위한 바울의 영광스러운 사도

직분으로 사용되고 있다. 그럼에도 불구하고 마르다는 마리아에 비교당하

어 덜 현명한 여인으로 해석되고 있다.

15세기 영국의 랭커스터 왕가와 프랑스의 발루 왕가 사이에 100년 동안 일어난 전쟁의 한 가운데 '잔 다르크'가 있었다. 그녀는 프랑스를 구하라는 신의 명령을 받고 전쟁터에 뛰어들어 승전한다. 그러나 그녀를 반대하던 세력들에 붙잡혀 마녀사냥이라는 시대적인 종교적인 악습 문화의 제물로 희생되어 결국 화형 당한다.

우리는 본문에서 예수님께 향유 부은 여인의 모습을 통하여 진정한 믿음이 무엇인지를 배워야 한다.

1. 신뢰하는 믿음

예수님의 사역에 있어서 식탁친교(table fellowship)는 중요한 위치와 의미를 갖는다. 예수님은 식탁친교를 통해서 '하나님의 차별 없는 사랑'을 극적으로 나타내셨다. 주님의 사랑의 식탁에는 누구나 함께 앉을 수 있었다. 주님은 창기와 세리도 식탁에 환영하셨다. 예수님은 의인을 부르러 오신 것이 아니기 때문에(마 9:13), 어떤 죄인이라도 주님의 식탁에 앉을 수 있었다. 누구든지 원하는 사람은 하나님의 사랑을 받을 수 있었다.

한 바리새인이 예수님을 자기 집에 초대했다. 물론 이 바리새인은 구원을 얻기 위해서가 아니라 자신의 의로움을 과시하려 했음이 분명하다. 왜냐하면 구원을 사모했다면 자기가 직접 초대한 예수님께 손님을 맞는 기본적인 일을 했어야 함이 마땅한데 그는 그렇게 하지 않았다. 그 당시에 발 씻을 물과 환영의 키스는 손님에 대한 정중한 예의 갖춤이었다. 그러나 바리새인은 그 어떤 일도 하지 않았다!

그런데 한 여인이 예수님께 대한 소문을 듣고 예수님이 계신 그 바리새인 집에 찾아왔다. 37절에 "알고"라는 '에피기노스코'(epiginosco)는 중요한 말이다. 그냥 아는 '기노스코'가 아니다. 이 말의 뜻은 '분명히 알다'(to know clearly), '이해하고 분별하다'(understand, dicern), '인식하다'(to recognize), '배워 친숙해지다'(to learn, become accquainted with)라는 뜻이며, 명사형 '에피그노시스'는 '경험을 바탕으로 하는 정확무오한 지식'(accurate knowledge)이란 뜻이다.

로마서 10장 2절에서는 '구원 얻는 지식'으로, 에베소서 1장 17절에서는 '지혜와 계시의 정신으로 말미암은 하나님에 관한 지식'으로, 그리고 히브리서 10장 26절에서는 '진리를 아는 지식'으로 사용되고 있다. 그러므로 이 여인은 믿음으로 말미암아 구원을 얻는 지식을 갖고 주님 앞에 나아온 것이다.

이 여인은 비록 도덕적으로 윤리적으로는 불결한 죄인이지만, 예수님에 관한 말씀을 "듣고" 예수님을 "알았다." 믿음으로 예수님을 알게 되었다. 그녀의 앎은 믿음에서 나왔다. 예수님께서 죄인의 구주임을 믿고 알았다는 것이다. "믿음은 들음에서 나며 들음은 그리스도의 말씀으로 말미암았느니라"(롬 10:17).

이 여인은 차마 예수님 앞에 설 수 없었다. 회개의 눈물을 흘리다가(마 5:4, 애통하는 복된 자) 드디어 머리를 풀어 예수의 발을 닦았다. 그 시대 여자가 머리를 푸는 것은 큰 수치였다. 그렇지만 그녀는 상관하지 않았다! 그 푼 머리칼로 예수의 발을 씻은 다음, 예수의 발에 입맞춤을 하였다. '카타필레오'(kataphileo)는 '애정을 갖고 입맞춤하다'라는 뜻이다. 그녀는 용서와 구원의 주님을 뜨겁게 사랑했던 것이다.

그 시대의 에티켓대로 한 입맞춤이 아니다. 감히 예수님의 입이나 뺨에 키스하지 못하였다. 대신 발에 입맞춤을 했다. 발은 신체 부위 가운데 가장 낮은 곳이다. 그만큼 여인은 자신을 낮추었다! 이 여인의 겸손을 바라보자!

그런 다음에 옥합에 든 값비싼 향유를 예수님의 발에 부었다. 향유는 그녀가 지닌 전 재산이다.

이 모습을 바라보던 바리새인은 이 여인을 멸시하기 시작했다. 이 여인은 죄인이라는 것이다. 그러나 실상 자신이 죄인이라는 사실을 알지 못했다. 자신이 구원받아야 할 죄인임을 깨닫지 못하고 있었다. 그는 구원의 주님을 집에 초대하여 함께 식탁에 앉았지만, 하나님 나라에서 먼 자였다. 그러나 이 여인은 하나님 나라에 가까운 자였다.

세 종류의 죄인이 있다. 죄인이면서 죄인인 줄 모르는 사람, 죄인인 줄 알면서 회개하지 않는 사람, 그리고 죄인이면서 의인인 척 하는 사람이다. 본문의 바리새인은 이 모두에 해당한다. 그러나 여인은 자신을 한없이 낮춤으로써 구원의 은총을 입은 높은 자리에 올랐다(삼상 2:7).

향유 부은 여인은 예수님을 신뢰하였다. 예수님을 신뢰하는 여인의 모든 행동은 믿음과 앎에서 나온 신뢰였다. 이 여인은 믿음(신뢰)으로 구원을 얻었다.

2. 순종하는 믿음

여인이 예수님 앞에 나와 회개의 눈물을 흘린 것은 순종의 행위다. 왜 그럴까? 예수님 앞에 나와서 회개한 행동 자체가 "회개하라, 하나님의 나라가 가까웠느니라"(마 3:2)는 예수님의 말씀의 선포에 대한 순종이다. 여인은 예수께서 회개와 믿음을 외치고 가르치면서 다니신다는 것, 그리고 누구든지 회개하고 믿고 영생을 얻을 수 있다는 사실을 듣고, 믿고, 순종함으로 주님께 나아온 것이다. 만일 예수 앞에 나오는 순종의 행위가 없었다면 그녀의 믿음은 온전해질 수 없었고, 온전한 구원을 체험하지 못했을 것이다.

순종이 없는 믿음은 믿음이 아니다. 실천적인 순종, 곧 열매가 없는 믿음은 죽은 믿음이다(약 2:17, 26). "이스라엘아 들으라!(שמע ישראל)"하실 때(신 6:4), '들음(שמע)'은 단순히 듣는 것(to hear)이 아니라, '듣고 순종하라'(to hear and obey)는 뜻이다. 마틴 루터(Martin Luther)는 믿는다고 말하나 실천(Praxis)이 없는 자는 신자가 아니라고 했다. 열매가 없는 나무를 어찌 나무라 하겠느냐 하는 것이다. 광야 이스라엘은 말씀을 들었으나 '믿음과 결부시키지 않았다'(히4:2). 그것은 하나님의 말씀에 대한 온전한 믿음, 곧 순종의 행위가 없었다는 뜻이다.

3. 헌신하는 믿음

믿음과 앎은 순종의 행위의 열매가 있어야 한다. 더 나아가 주님에 대한 온전한 헌신은 믿음의 절정이다. 여인의 온전한 헌신은 믿음의 절정이자 완성이었다.

캘리포니아 주지사 스탠퍼드(Stanford)는 매우 큰 부자였다. 그는 9세된 아들에게 새로운 세계를 보여주고자 이태리로 데리고 갔다. 그런데 아들이 그곳에서 병에 걸려 죽었다. 그는 좌절과 비탄감을 안고 자신의 꿈이 재로 변한 탄식 속에 살았다. 그러던 어느 날, "나는 내 아들을 하나 잃었으나 캘리포니아의 모든 아이들을 내 아들로 삼아야겠다."라는 결심을 하고 대학을 설립했다. 그 대학이 오늘의 명문 스탠퍼드대학이다.

어린 소녀가 교회학교에 입학하고자 했지만, 교회는 작고 학생들은 너무 많아 더 이상 받아들일 수 없어 거절당했다. 소녀는 그날부터 하나님께

"교회 학교에 다니고 싶은 아이들은 모두 입학할 수 있는 큰 교회를 세워달라."고 기도하던 중 급성 폐렴에 걸려 죽게 되었다. 소녀는 목사님께, "큰 교회를 세워 모든 어린이들이 교회학교에 다닐 수 있게 해주세요."라는 유언과 함께 동전 57센트가 들어 있는 저금통장을 남겼다. 목사님은 소녀의 장례식에서 소녀의 유언을 전했고, 이 소식은 전국적으로 모금 운동을 일으켜 소녀가 죽은 지 5년 만에 3천여 명이 모여 예배드릴 수 있는 교회와 병원, 대학교, 교회학교가 세워졌다. 미국의 그 유명한 '선한 사마리아인 병원'(Good Samarian Hospital)과 템플대학교(Temple University)가 그 어린 소녀 때문에 세워진 것이다.

스탠퍼드나 어린 소녀 모두 한결같이 믿음으로 헌신한 자들이다. 그들의 믿음과 그 믿음의 절정인 헌신은 위대한 열매를 낳았던 것이다.

이 여인은 듣고, 믿고, 예수님 앞에 나아오는 순종이 있었을 뿐만 아니라, 자기의 전 재산을 주님께 바쳤다. 온전한 헌신으로 살아있는 진정한 믿음을 증언한 것이다. 그녀의 헌신은 믿음의 절정이었다!

* 예수의 발에 향유를 부어드릴 수 있는가?

8 믿음이란 무엇인가?
(히 11:24-31)

믿음으로 모세는 장성하여 바로의 공주의 아들이라 칭함 받기를 거절하고 도리어 하나님의 백성과 함께 고난 받기를 잠시 죄악의 낙을 누리는 것보다 더 좋아하고, 그리스도를 위하여 받는 수모를 애굽의 모든 보화보다 더 큰 재물로 여겼으니 이는 상 주심을 바라봄이라. 믿음으로 애굽을 떠나 왕의 노함을 무서워하지 아니하고 곧 보이지 아니하는 자를 보는 것 같이 하여 참았으며, 믿음으로 유월절과 피 뿌리는 예식을 정하였으니 이는 장자를 멸하는 자로 그들을 건드리지 않게 하려 한 것이며, 믿음으로 그들은 홍해를 육지 같이 건넜으나 애굽 사람들은 이것을 시험하다가 빠져 죽었으며 믿음으로 칠 일 동안 여리고를 도니 성이 무너졌으며 믿음으로 기생 라합은 정탐꾼을 평안히 영접하였으므로 순종하지 아니한 자와 함께 멸망하지 아니하였도다(히 11:24-31)

누군가 인생 80년을 네 주기로 말했다: "엄벙덤벙 20년, 이것저것 20년, 아차 아차 20년, 설마 설마 20년, 꽥! 하고 죽는다."

창조주가 소에게 80년을 살라고 하셨다. 소는 평생 채찍을 맞으며 죽도록 일할 지경인데 80년은 너무 기니 40년만 살게 해 달라고 했다. 그래서 창조주는 소에게 40년의 수명을 허락하셨다. 개에게는 20년을 살라고 하니 '개'자만 들어가면 다 싫어하니 10년만 살게 해 달라고 졸랐다. 그래서 창조주는 개에게 10년의 수명을 허락하셨다. 원숭이에게 30년을 살라고 했더니, 밤낮 사람들 앞에서 재주나 부리고 놀림감으로 사는데 10년을 감해 달라고 부탁하여 수명이 20년이 되었다. 인간에게 20년을 살라고 하니까 "소가 버린 40년, 개가 버린 10년, 원숭이가 버린 10년을 더하여 살게 해 주세요." 하여 인간의 수명이 80년이 되었다. 그래서 20년은 철없이 덤벙거리며 보내고, 40년을 소처럼 일하다가, 10년은 손자 앞에서 원숭이처럼 재롱 부리다가, 10년은 개처럼 집만 지키다가 죽는다는 우스갯소리가 있다.

모세의 인생 주기는 애굽 궁정생활 40년, 광야생활 40년, 그리고 이스라엘 지도자로서의 사명생활 40년이었다. 그는 애굽의 모든 학식 - 지식과 지혜, 인문, 정치, 군사, 천문학, 마술 등 - 을 다 배웠고 언변도 탁월했다(행 7:22). 그는 장차 애굽의 왕위를 계승받을 자였지만, 믿음에 의해 넓은 길보다 좁은 길을 선택했다(마 7:13-14).

오늘 본문에서 모세를 통해 믿음의 본질이 무엇인지를 배우고 우리의 삶에 적용하자.

1. 믿음은 "거절하는 것", 즉 선택과 포기의 문제

모세는 바로의 공주의 아들이라 칭함을 거절했다(24절). 믿음은 내게 아무리 좋은 것이라도, 내게 아무리 유익이 되고 기쁨이 되는 것이라도 하나님이 기뻐하시지 않으면, 하나님을 위한 길이라면 그것들을 거절하는 것, 버리는 것이다.

바로의 공주의 아들이 된다는 것은 그 당시에 지상 최고 권력을 승계하는 것을 의미했다. 인간이 가진 욕망 중에 가장 근본적이고 큰 것은 권력에 대한 의지(will of power) 혹은 욕망(desire)이다. 역사학자 아놀드 토인비는 그의 저작 《역사의 연구》(The study of history)에서 우리에게 몇 가지 교훈을 주는데, 그 가운데 하나는 하나님이 사람을 망하게 하는 길은 권력에 미치게 만든다는 것이다. 애굽의 왕좌는 막대한 돈과 부귀, 수많은 여자 혹은 성의 쾌락(솔로몬은 상아 의자에 앉아서 수영장에서 나체로 수영하는 궁녀 1,000명을 주시하다가 마음에 드는 여자를 데리고 침실로 향했다 한다. 애굽의 파라오가 된다는 것은 그 이상을 의미한다)을 향유하는 것을 의미한다. 이 세상의 모든 향락, 이 세상 모든 것의 완전한 보장을 의미한다. 그러나 모세는 이 모든 좋은 것, 세상 모든 사람들이 한결같이 추구하는 것을 믿음으로 거절했다.

우리는 믿음 때문에 버린 것이 있는 사람인가? 하나님을 기쁘시게 하기 위해 우리가 포기한 것은 무엇인가? 지금까지 없었다면, 앞으로 우리가 버릴 것은 무엇인가?

사도 바울은 고백한다:

"그러나 무엇이든지 내게 유익하던 것을 내가 그리스도를 위하여 다 해로 여길뿐더러 또한 모든 것을 해로 여김은 내 주 그리스도 예수를 아는 지식이 가장 고상하기 때문이라"(빌 3:7-8)

"그런즉 우리는 몸으로 있든지 떠나든지 주를 기쁘시게 하는 자가 되기

를 힘쓰노라"(고후 5:9)

모세는 참으로 버리기 쉬운 것을 버린 것이 아니라, 버리기 불가능한 것을 버렸다. 버리기 쉬운 것은 누구나 버릴 수 있다. 그러나 버리기 불가능한 것을 버리는 것이 참 버림이며, 그것은 오로지 믿음의 힘만으로 가능하다.

2. 믿음은 "더 좋아하는 것", 즉 가치관의 문제

믿음은 '더 좋아하는 것'이다. 믿음의 사람 모세는 죄악이 잠시 주는 즐거움(쾌락)보다 그리스도를 위한 고난을 더 좋아했다(25절). 즐거움을 버리고 고난을 더 좋아하다니! 이는 어리석은 게 아닌가? 그러나 모세는 죄악이 주는 즐거움은 잠시일 뿐이며, 비록 고난은 당시에 힘들더라도 영원한 즐거움과 영광을 주는 것임을 깨달았기에 일순간의 즐거움(쾌락)에 자신을 팔지 않았다.

오늘날 사람들은 영적인 영원한 것을 값어치 없게 여기고, 순간적인 즐거움이나 가치에 몰두하는 '에서 신드롬'(Esau syndrome)을 앓고 있다. 에서는 팥죽 한 그릇에 장자생득권(birthright, 가정의 제사장이 되는 특권)을 팔아치우는 망령된 행위를 서슴지 않았다(히 12:16).

사도 바울은 고백한다: "그러므로 내가 그리스도를 위하여 약한 것들과 능욕과 궁핍과 박해와 곤고를 기뻐하노니"(고후 12:10). 부활하신 영광의 예수를 만난 사도는 그리스도와 같이 영광의 부활에 참여할 것을 알기에 환난이나 박해나 곤고를 기뻐할 수 있었다. 비교할 수 없는 더 높은 가치 앞에서 낮은 가치는 설 자리가 없다.

세상이 주는 순간적인 즐거움은 믿음을 희석시키고 무가치하게 만든다.

그러나 믿음은 순간적인 즐거움을 무가치하게 만든다. 제로(0)로 만든다! 우리 모두는 그 양자의 긴장 속에 서 있다.

탐욕으로 죽은 갈매기들의 이야기다.

어떤 여행자가 영국 어느 해변에서 한 젊은이가 죽은 갈매기들을 치우고 있는 모습을 보았다.

여행자: "갈매기들이 왜 이렇게 죽었나요?"

젊은이: "여행자들이 주는 과자와 사탕을 받아먹는 재미에 빠져 사느라고 바다 속의 고기를 찾지 않아서 죽었답니다!"

다음은 탐욕으로 물에 떠내려 간 독수리 이야기다.

미국과 캐나다 국경에 있는 버팔로 시(市) 근처 나이아가라 폭포에서 있었던 일이다. 독수리 한 마리가 하늘을 맴돌다가 강물에 떠내려가는 양 한 마리를 발견하고 쏜살같이 내려와서는 양의 옆구리를 날카로운 발톱으로 공격했다. 그리고는 눈을 파먹고 살을 뜯기 시작했다. 독수리도 함께 떠내려갔지만, "나는 하늘을 날 수 있으니까…" 하고 계속 먹이를 붙잡고 놓지 않았다. 어느덧 폭포 끝까지 도달했다. 그제야 독수리는 하늘을 날려고 시도했지만 발톱이 양의 몸에 너무 깊이 박혀 양과 함께 폭포 아래로 떨어져 죽고 말았다.

3. 믿음은 "바라보는 것", 즉 영적 비전의 문제

믿음은 영적 비전(vision)의 문제다. 곧 영안(靈眼)으로 현실 너머의 것을 바라보는 것이다. 믿음의 사람 모세는 그리스도를 위해 받는 능욕과 수치를 애굽의 모든 보화보다 더 큰 재물로 여기며, 현실에서 눈을 돌려 미래에 받을 상을 바라보았다. 사도 바울은 만일 눈에 보이는 세상이 전부이면, 우리 크리스천은 이 세상에서 가장 불쌍한 사람일 것이라고 강조했다(고전 15:19).

골프선수 타이거우즈는 어린 시절에 아버지로부터 공에 집중하는 훈련을 받았다고 한다. 주위에서 누가 떠들거나 야유를 퍼부어도 오직 자신의 공만 바라보는 집중 훈련을 했다는 것이다. 성도는 '주바라기'가 되어야 한다.

우리가 가진 재물은 무엇인가? 우리의 진정한 재물은 어디에 있는가? 예수 그리스도가 나의 재물, 나의 보화인가?

나는 이 말을 제일 좋아한다: "그리스도를 가진 자가 모든 것을 가진 자다."(Qui a Jesus a tout.)

4. 믿음은 "참는 것", 즉 자신과의 투쟁

모세는 인내하는 사람이었다. 애굽 왕 파라오 앞에 선다는 것, 이스라엘의 출애굽을 허락할 때까지 지상 최고 권력자를 대면해야 하는 것은 결코 쉬운 일이 아니었다. 그러나 모세는 눈에 보이지 않는 능력의 하나님을 바라보면서 인내했다.

믿음은 참는 것이다. 눈앞에 어떤 장애물이 있어도 능력의 하나님을 바라보면서 참는 것이다. 히브리서 기자는 믿음의 경주를 인내로 하라고 당부한다(히 12:1-2).

5. 믿음은 "정하는 것", 즉 결단의 문제

　믿음의 사람 모세는 믿음으로 피 뿌리는 예식을 정했다. 만일 믿음이 없었다면, 피 뿌리는 예식을 정하지 않았다면, 모든 이스라엘 사람은 애굽인들처럼 하나님의 진노의 손에 빠졌을 것이다. 모세는 하나님의 말씀을 믿고 이스라엘 백성들로 하여금 양의 피를 문설주에 바르게 함으로써 이스라엘 백성의 장자를 죽음에서 구원했다(이 피는 장차 오실 예수 그리스도의 대속의 피의 모형이다).

　에스라는 하나님의 말씀을 먼저 실천하며 백성에게 가르치기로 결단했고(스 7:10), 다니엘은 진미로 자신을 더럽히지 않기로 결심했다(단 1:8). 욥은 일정한 음식보다 영의 양식인 하나님의 말씀을 더욱 귀히 여겨 섭취하기로 결정했다(욥 23:12). No Bible, No breakfast 운동 - 미국에서 시작된 "먼저 하나님의 말씀을 먹지 않고서는 아침 식사를 하지 않는다 - 의 뿌리가 바로 여기에 있다.

　　* 우리는 어떤 믿음을 지니고 있는가?

9 생명의 강 예수
(창 2:10-14, 마 1:1-6)

강이 에덴에서 흘러 나와 동산을 적시고 거기서부터 갈라져 네 근원이 되었으니(창 2:10)

아브라함과 다윗의 자손 예수 그리스도의 계보라. 아브라함이 이삭을 낳고 이삭은 야곱을 낳고 야곱은 유다와 그의 형제들을 낳고 유다는 다말에게서 베레스와 세라를 낳고 베레스는 헤스론을 낳고 헤스론은 람을 낳고 람은 아미나답을 낳고 아미나답은 나손을 낳고 나손은 살몬을 낳고 살몬은 라합에게서 보아스를 낳고 보아스는 룻에게서 오벳을 낳고 오벳은 이새를 낳고 이새는 다윗 왕을 낳으니라. 다윗은 우리야의 아내에게서 솔로몬을 낳고(마 1:1-6)

에덴동산 안에는 한 강이 있었다. 성경은 이 강의 이름을 밝히지는 않지만, 이름 없는 이 강은 동산에 거하는 아담과 하와에게 영원한 생명과 행복을 주는 강임에 틀림없다. 그리고 이 강은 예수님을 상징한다.

이 강에서 흐르는 물은 생명수다. 동산의 주인이신 예수님은 생명의 강, 생명수이시다. 예수님은 "누구든지 목마르거든 와서 마시라"고 초청하셨고, 이 물을 마시는 자는 그 속에서 생명수가 흘러넘치리라(요 7:37-38)고 말씀하셨다.

에덴동산 안에 있는 이 강으로부터 네 강이 흘러나왔다. 그 강들의 이름은 비손, 기혼, 힛데겔, 그리고 유브라데다. 이는 에덴동산은 우주의 중심(Axis Mundi)이며, 네 강(네 방향: Four Quarters)은 세계(우주)를 의미한다.

에덴동산 안의 한 강은 영원한 생명과 축복의 강이다. 그리고 바깥의 네 강은 세상을 상징하는 바, 타락과 죽음과 저주를 의미한다. 아담 하와가 하나님의 명령에 불순종하지 않았다면, 그들은 동산 안에서(in) 생명나무의 열매를 먹고 생명의 강에서 생명수를 마시면서 영원히 행복하게 살 수 있었을 것이다. 그러나 말씀에 불순종하여 범죄한 그들은 에덴 밖으로(out) 추방되어, 타락과 죽음의 저주 아래서 제한된 삶을 연명할 수밖에 없었다.

1. 영원한 생명과 축복(행복)의 강을 인간에게 주신 하나님

하나님은 아담과 하와에게 동산 안의 모든 나무의 열매는 임의로 먹되, "선악을 알게 하는 나무의 열매는 먹지 말라. 만일 먹으면 반드시 죽으리라."고 말씀하셨다. 그러나 하와에게 뱀은 "절대 죽지 않는다." "너희들이 하나님과 같이 된다." "하나님의 간섭 아래 있지 말고 네가 하나님이 되라." "네가 하나님이 되면 마음대로 살 수 있지 않느냐?"(Ye shall be as God). "네가 네 행복의 주관자가 되라."고 유혹했고, 하와는 이 유혹에 넘어갔다. 혼자 하기가 불안하니까 남편을 불안 해소의 방편으로 끌어들였다.

"약한 자여, 그대 이름은 여자!"라는 말이 무색해졌다. 이 말은 "약한 자여, 그대 이름은 남자!"로 바뀌어야 하지 않을까? 선악과를 따 먹은 아내 앞에서 아담은 한순간 허망하게 무너져 내렸다. 하나님 앞에서 한 가장으로서의 책임을 통감하는 가운데 가슴을 치며 통회하며 자신들의 연약함과 범죄를 회개하는 대신, 아담은 아내의 요청을 순순히 받아들였다. 아담은 하나님보다 아내를 더 소중히 여기고 사랑한 것일까?

결국 두 사람은 범죄했고, 에덴의 영원한 생명과 축복을 상실했다. 에덴 동산의 생명나무의 열매를 더 이상 먹을 수 없었고(생명나무로 가는 길은 불타는 화염검으로 봉쇄되었다), 생명의 강의 생명수를 더 이상 마실 수 없게 되었다. 에덴동산 밖으로 추방당한 아담과 하와는 타락한 세상에서 세상이 주는 죽음의 강물을 마시면서 제한된 삶을 연명하게 되었다. 생명수(예수 그리스도)는 영원한 해갈을 주지만, 세상이 주는 물은 마시면 마실수록 목마르다(요 4:13).

동산 밖에 있는 네 강은 생명수가 아니다. 동산 안의 강은 생명수라서 마시는 자에게 영원한 생명을 공급한다. 그 물을 마시면 그것은 마신 사람 안에서 영생하도록 솟아나지만(요 4:14) 동산 밖의 강물은 아무리 마셔도 필경은 죽어야 한다.

르우벤 자손과 갓 자손은 그들이 소유한 많은 가축 때문에 요단 동쪽 땅에 정착하려 했다. 요단 동쪽은 약속의 땅 안(in)이 아니라 밖(out)이지만, 그들은 안이라 생각하고 거기 머물기를 모세에게 요청했다(민 32:1-15). 결국 그들의 제안을 모세는 허용했지만, 마침내 그들은 노출된 지형으로 말미암아 하사엘의 공격에 최초로 처참하게 멸망당했다(왕하 10:32-33). 그들이 보기에는 약속의 땅 안(in)이었지만, 하나님 보시기에 그 땅은 약속의 땅 밖(out)이었다. 안(out)은 생명과 축복이지만, 밖(out)은 죽음과 저주다.

2. 마태복음 본문에 나오는 네 여인은 예수님이 오시기까지의 구약역사, 마리아는 생명 되신 예수님이 오신 신약의 역사

아담과 하와가 말씀에 불순종하여 타락하자 하나님은 곧 "여자의 후손"을 통해 창조를 회복하시리라는 약속, 최초의 복음(Proto-Gospel)을 주셨다(창 3:15). 구약의 역사는 이 약속의 성취를 기다리는 구속사(Heilsgeshihite)이자 약속이 성취되는 역사다.

신약은 약속 성취와 약속의 성취에 대한 증언인 바, 마태복음 본문에 나오는 네 여인(다말, 라합, 룻, 우리야의 아내)은 생명나무의 길이 막힌 에덴동산의 밖(out)의 역사, 타락한 세상의 역사를 보여주며, 마리아는 예수로 말미암아 타락에서 회복된 생명나무의 길이 열린 에덴동산 안(in)의 역사를 의미한다.

하나님이 창세기 3장 15절에서 약속하신 메시야 예수는 타락한 네 강의 역사 속에 뛰어들어 한 강, 곧 생명의 역사를 회복하러 오신 분이다. '물 주는 운동'을 펼치신 것은, 에덴동산의 생명수의 근원되는 한 강, 곧 하나님의 말씀을 주러 오신 것이다(요 4:14).

> "내가 주는 물을 마시는 자는 영원히 목마르지 아니하리니 내가 주는 물은 그 속에서 영생하도록 솟아나는 샘물이 되리라"(요 4:14)

3. 십자가에 달리실 때 찢어진 겉옷과 속옷

예수를 십자가에 못 박을 때, 십자가 아래서 로마 군인들은 예수님의 어머니가 통으로 짜 준 겉옷을 네 조각으로 나누어 가졌지만(유대 나라에서는 통상 아들이 집을 떠날 때 어머니들은 통으로 짠 옷을 선물로 주었다), 속옷은 나누지 않고 제비를 뽑아 가졌다:

> "군인들이 예수를 십자가에 못 박고 그의 옷을 취하여 네 깃에 나눠 각각 한 깃을 얻고 속옷도 취하니, 이 속옷은 호지 아니하고 위에서부터 통으로 짠 것이라. 군인들이 서로 말하되 이것을 찢지 말고 누가 얻나 제비 뽑자 하니"(요 19:23-24)

세상 겉 진리는 동서남북 사방으로 갈라지고 찢어질 수밖에 없는 네 강이지만, 하나님의 속 진리인 생명은 온전한 하나, 곧 한 강이라는 뜻이다.

예수님은 네 강을 의지하며 살지만 생명과 행복을 잃어버리고 방황하는 인간을, 한 강 에덴동산 안의 생명의 강으로 인도하기 위해 오신 분이다. 돈에 목마르고, 권력과 명예에 목마르고, 육신의 정욕과 쾌락에 목마르고… 목마르고… 동산 밖에서는 결코 영혼의 갈증을 채울 수 없다.

하지만 예수를 구세주로 믿고 따르는 자는 한 강을 얻는다. 이 강은 생명의 강이며, 이 강에서 생명수를 마시는 자는 다시 목마르지 않는다:

> "또 그가 수정 같이 맑은 생명수의 강을 내게 보이니 하나님과 및 어린 양의 보좌로부터 나와서 길 가운데로 흐르더라 … 다시 저주가 없으며"(계 22:1-3)

* 어느 강을 선택하려는가?

Ⅱ
신자의 삶의 원리

1 처음 사랑을 회복하라

(계 2:1-7)

에베소 교회의 사자에게 편지하라. 오른손에 있는 일곱 별을 붙잡고 일곱 금 촛대 사이를 거니시는 이가 이르시되 내가 네 행위와 수고와 네 인내를 알고 또 악한 자들을 용납하지 아니한 것과 자칭 사도라 하되 아닌 자들을 시험하여 그의 거짓된 것을 네가 드러낸 것과 또 네가 참고 내 이름을 위하여 견디고 게으르지 아니한 것을 아노라. 그러나 너를 책망할 것이 있나니 너의 처음 사랑을 버렸느니라. 그러므로 어디서 떨어졌는지를 생각하고 회개하여 처음 행위를 가지라. 만일 그리하지 아니하고 회개하지 아니하면 내가 네게 가서 네 촛대를 그 자리에서 옮기리라. 오직 네게 이것이 있으니 네가 니골라 당의 행위를 미워하는도다. 나도 이것을 미워하노라. 귀 있는 자는 성령이 교회들에게 하시는 말씀을 들을지어다. 이기는 그에게는 내가 하나님의 낙원에 있는 생명나무의 열매를 주어 먹게 하리라(계 2:1-7)

인간은 관계의 존재(The related Self)다. 관계를 떠나서는 존재할 수 없을 뿐 아니라 자신의 존재 의미를 발견할 수도 없다. 관계 속에서 진정한 자신을 발견할 수 있다. 매슬로우(Abraham H. Maslow)가 말한 인간의 욕구 중에서 소속감의 욕구, 자기 존중의 욕구, 자기 성취의 욕구는 모두 관계(relationship)와 관계된 것들이다. 특히 사랑의 욕구는 관계에 있어 절대적인 요인이다.

1. 영적 은사가 많은 에베소 교회

에베소는 소아시아의 중심지이자 항구 도시로서, 세계 7대 불가사의 중의 하나인 아데미(아르테미스) 신전이 있는 곳이다. AD 53년경 사도 바울이 방문하여 전도했을 때, 많은 사람들이 예수를 믿었다(행 19:10-21).

로마의 중요 도시 중의 하나이자 아르테미스 여신 숭배로 유명할 뿐 아니라 기독교에 대해 적대적인 에베소에서 신앙생활 하기란 그리 만만하지 않았다. 우상숭배로 유명한 이방 지역 교회의 성도들이 주님과 복음을 위해 수고하고, 인내하며, 악한 자들을 용납하지 아니하고, 영분별 은사를 활용하여 참 선지자와 거짓 선지자를 분별하며, 주의 이름을 위해 박해를 견디고, 게으르지 않고 부지런한 신앙생활을 한다는 것은 큰 장점이자 칭찬받을 만한 일이다.

2. 책망 받은 에베소 교회

그러나 에베소 교회의 치명적인 약점은 신앙의 핵심인 사랑을 잃어버린 것이었다:

"그러나 너를 책망할 것이 있나니, 너의 처음 사랑을 버렸느니라"(4절)

에베소 교회는 처음에는 서로 사랑하는, 사랑(아가페)이 있는 교회였다:

> "이로 말미암아 주 예수 안에서 너희 믿음과 모든 성도를 향한 <u>사랑</u>을
> 나도 듣고"(엡 1:15)

그러나 에베소 교회는 시간이 지나면서 점차 주님에 대한 사랑이 식어지고 사람들에 대한 사랑이 식어지면서 생명 없는 형식적인 신앙의 틀에 갇히게 되었다.

일반적으로, 교회가 처음 설립될 때는 '사람 중심'이 되어 서로 열심히 사랑하고 섬긴다. 그러다가 교회가 점점 성장함에 따라 '사람 중심'에서 '제도 중심'으로 변하고 교회가 냉랭하게 된다. 아이착 아디제스(Ichak Adizes)는 그의 저서《상호작용하는 인생주기》(Corporate Lifecycle)에서 대체적으로 한 조직의 변화를 심층적으로 분석하고 있는데 - 교회에도 적용된다. 그것은 구혼기간(courtship)-유아기(infant)-성장기(go-go)-청소년기(Adolescence)-번영기(prime)-안정기(stable)-귀족화(Aristocracy)다.

처음 교회가 개척될 당시에는 사람을 중시하고 사랑의 네트워크(network)를 구축한다. 그러다가 교회가 점점 성장하면 사람 중심에서 프로그램 혹은 제도 중심으로 무게 추가 옮겨간다. 이후 교회는 본질보다 제도가 우선이 되는 단계로 나아간다(웨슬레는 이를 타락한 교회라고 했다). 교회가 귀족화된다는 것은 본질보다는 제도가 우선이며, 사람에 대한 관심 혹은 사랑보다 교회 조직 자체와 프로그램, 그리고 사업에 더 관심과 애착을 갖는다는 것을 의미한다. 그러면 교회는 사람은 모이지만 생명력은 없는 싸늘하게 죽은 교회가 된다. 사랑의 토대가 없는 종교행위는 병리적 자

기애(Pathological narcissism)이며 자기 우상(self-idol)에 불과하다.

에베소 교회는 첫 사랑을 잃어버렸다. 사랑이 없는 교회가 무슨 가치를 지닐까? 하나님은 사랑이신데(요일 4:8), 그 사랑의 하나님께서 세우신 교회라면 당연히 사랑이 중심이 되는 교회(에클레시아 ecclessia)가 되어야 함에도 불구하고, 에베소 교회는 사랑 없는 조직에 - 클레시아가 아닌 세상 조직 같은 - 이 되어버린 것이다!

만일 에베소 교회가 회개하여 첫 사랑을 회복하지 않으면 촛대가 옮겨진다. 촛대가 옮겨진다는 것은 주님이 교회를 떠나신다는 것이다. 그러면 교회의 형태는 남아있을지라도, 그 교회는 사데 교회처럼 생명이 없는 죽은 교회가 되어버릴 것이다.

3. 첫 사랑의 의미

'첫'이란 헬라어 프로텐(πρωτην)은 시간, 장소, 물질 등에 있어서 '으뜸'을 말한다. 마태복음 22장 37-40절에서 예수님이 하신 말씀 "'첫째' 되는 계명"의 첫째와 같은 말이다:

> "네 마음을 다하고 목숨을 다하고 뜻을 다하여 주 너의 하나님을 사랑하라 하셨으니 이것이 크고 '첫째'되는 계명이요, 둘째도 그와 같으니 네 이웃을 네 자신 같이 사랑하라 하셨으니 이 두 계명이 온 율법과 선지자의 강령이니라"

여기서 첫째는 "온 율법과 선지자의 강령"인데 '강령' 역시 '프로텐'(πρωτην)이다. 강령은 '못' 혹은 '옷걸이'(hang)다. 헌금과 봉사, 사업 등 모든 종교

행위를 옷걸이에 다 걸어놓아도 옷을 걸어둔 못 혹은 옷걸이가 빠지면 그 위에 걸어두었던 모든 것들은 땅바닥에 다 떨어지고 만다. 사랑의 옷걸이가 빠지면 모든 종교적 행위는 무용지물이라는 뜻이다.

사랑이야말로 모든 종교적 행위에 있어서 으뜸이다.

예배와 예전(이는 말할 수 없이 중요하다!), 십일조와 봉사, 그리고 교회에서 행하는 모든 사업과 다양한 프로그램 등이 있다 해도, 으뜸인 사랑의 실천(praxis) 혹은 열매가 없다면 그 모든 것은 가치와 의미를 상실한다. 이사야는 하나님의 전 "마당만 밟고 가는 신자"(혹은 마당 신자)라고 질타하지 않았는가?

> "여호와께서 말씀하시되 너희의 무수한 제물이 내게 무엇이 유익하뇨? 나는 숫양의 번제와 살진 짐승의 기름에 배불렀고, 나는 수송아지나 어린 양이나 숫염소의 피를 기뻐하지 아니하노라. 너희가 내 앞에 보이러 오니 이것을 누가 너희에게 요구하였느냐? 내 마당만 밟을 뿐이니라"(사 1:11-12)

'프로텐'은 기다리는 아버지 비유(눅 15장)에서도 중요한 자리를 차지한다.

자기 몫의 유산(遺産)을 미리 분배받고서 아버지의 품을 멀리 떠나 기생들과 허랑방탕 생활을 하던 둘째 아들은 결국 돼지를 치면서 돼지들이 먹는 쥐엄 열매로 허기진 배를 채우는 거지로 전락한다. 마침내 그 아들은 죄를 뉘우치고(when he came to himself, 자신에게로 돌아와) 품꾼(종)의 모습으로 아버지께로 돌아온다.

그 당시 아버지를 욕보인 것은 그가 사는 마을을 욕보인 것이었다. 다시 말하면, 마을의 명예를 추락시킨 비윤리적 행위였다. 그렇기 때문에 설사 아버지가 그를 받아들인다 해도 마을이 그를 받아들이지 않으면 그는 집으로 돌아올 수 없었다. 아버지는 마을 사람들이 아들을 추방할까봐 염려되어 그러기 전에 먼저 아들을 받아들이기 위해 돌아오는 아들에게 "달려간" 것이다.

당시는 통으로 짠 옷을 입었기 때문에 달리려면 통옷을 걷어야 했다. 그러면 허벅지가 훤히 드러난다. 그것은 그 당시 아주 치욕스런 행위 혹은 불명예였다. 아들을 살리고자 하는 아버지의 사랑하는 마음에 비하면 그런 치욕과 불명예는 아무 것도 아니었다!

아버지는 그 아들을 사랑으로 기쁘게 맞아들인다. 목욕을 시키고, 종들이 신을 수 없고 아들만이 신는 신발을 신겨주고, 상속의 증표인 가락지를 끼우고, "제일" 좋은 옷을 내다 입힌다. 이때 사용된 "제일"이 '프로텐'(πρωτηv)이다.

하늘 아버지는 우리가 회개하고 돌아설 때 가장 좋은 선물을 주시는데, 그 무엇보다 귀한 선물이 무조건적인 사랑이다. 그리고 신자의 삶의 중심 원리는 사랑이다.

요한은 사랑하는 신자는 하나님께로부터 난 자라고 평가한다:

"사랑은 하나님께 속한 것이니 사랑하는 자마다 하나님으로부터 나서 하나님을 알고"(요일 4:7)

참된 신자의 삶의 원리 혹은 표지는 사랑하는 삶이다.

4. 사랑은 참여

사랑은 참여(participation)다.

사랑장인 고린도전서 13장은 이렇게 결론을 맺는다: "그런즉 믿음, 소망, 사랑, 이 세 가지는 항상 있을 것인데 그 중의 제일은 사랑이라"(고전 13:13). 그런데 다른 권위 있는 사본은 사랑을 참여로 말한다. 즉 사랑은 참여라는 것이다. 그러므로 우리는 이 구절을 다음과 같이 읽을 수 있다:

"그런즉 믿음, 소망, 참여는 항상 있을 것인데 그 중의 제일은 참여라"

사랑의 하나님은 참여하시는 하나님이시다. 하나님이 죄악으로 인해 우리가 당하는 고통에 참여한 자리가 십자가다. 십자가는 하나님의 참여의 자리다. 그러므로 우리가 만일 교회 안의 형제자매와 이웃의 삶 - 그들의 필요, 고통 등 - 에 참여한다면, 그 참여 행위는 사랑의 실천이다.

예수는 당시의 세대를 무정(apathy)한 세대라고 책망하셨다. 이웃의 슬픔과 고통, 그리고 기쁨에 공감(Sympathy)하지 못하고 거기에 참여(participation)하지 못하는 세대는 예수 시대에만 국한되지 않고 오늘 우리 세대에도 적용되어야 하지 않을까?!

* 우리의 옷걸이는 안전한가?

2 냉수 한 그릇의 의미
(마 10:42)

또 누구든지 제자의 이름으로 이 작은 자 중 하나에게 냉수 한 그릇이라
도 주는 자는 내가 진실로 너희에게 이르노니 그 사람이 결단코 상을 잃
지 아니하리라(마 10:42)

인자가 자기 영광으로 모든 천사와 함께 올 때에 자기 영광의 보좌에 앉
으리니, 모든 민족을 그 앞에 모으고 각각 구분하기를 목자가 양과 염소
를 구분하는 것 같이 하여 양은 그 오른편에, 염소는 왼편에 두리라. 그
때에 임금이 그 오른편에 있는 자들에게 이르시되 내 아버지께 복 받을
자들이여 나아와 창세로부터 너희를 위하여 예비된 나라를 상속받으
라. 내가 주릴 때에 너희가 먹을 것을 주었고, 목마를 때에 마시게 하였
고, 나그네 되었을 때에 영접하였고, 헐벗었을 때에 옷을 입혔고, 병들
었을 때에 돌보았고, 옥에 갇혔을 때에 와서 보았느니라 … 너희가 여기
내 형제 중에 지극히 작은 자 하나에게 한 것이 곧 내게 한 것이니라(마
25:31-40)

라우폴 공(公)의 꿈 이야기다.

라우폴 공의 꿈은 예수께서 마가의 다락방에서 마지막 성만찬 때 사용하셨던 금잔을 찾는 것이었다. 그래서 먼 여행을 위한 행장을 꾸리고 성문을 막 나서는 순간, 성문에 있는 거지가 "적선하십쇼!(charity)" 하고 말을 뱉었다. 라우폴은 "지금 막 예수의 금잔을 찾아나서는 길인데, 재수 옴 붙었네!" 하면서 거지를 향해 침을 탁 내뱉고 자신이 탄 말 엉덩이에 채찍을 가했다.

제법 세월이 흘렀음에도 꿈꾸던 예수의 금잔을 라우폴은 찾지 못했다. 경비는 벌써 다 떨어졌고, 입은 옷마저 남루해졌고, 몸은 수척했고, 꼴이 말이 아니었다. 하는 수 없이 이젠 꿈을 접고 힘없이 말을 몰고 떠났던 성문을 들어서려는 찰나, 그때 그 거지가 역시 "적선하십쇼!" 하고 말을 건넸다.

만감이 교차했다. 라우폴 공은 말에서 내려 긍휼(compassion)히 여기는 마음으로 딱딱하게 굳은 마지막 빵 한 조각을 거지에게 건네주었다. 그리고 냇가로 내려가 꽁꽁 언 얼음장을 깨고, 그간 달고 다니던 표주박에 냉수를 길어 거지에게 주어 마시게 했다. 그 순간 그 표주박은 마지막 성찬 때 사용하셨던 예수의 금잔으로 변했다!

놀란 라우폴 공은 꿈에서 깨어나 곡식 창고의 문을 열어 성 안의 가난한 빈민에게 나누어주었다.

1. 왼편(nunomos)에 설 "하지 않는 죄"(Sins of Omission)를 지은 자들

왼편에 서는 자들은 믿음을 주장하나 실천적 믿음의 소유자들이 아니다. 이론적으로는 "믿음! 믿음!" 하고 떠들어대는 유신론자이지만, 실천적으로는 아무런 행위도 하지 않는 무신론자들이다. 야고보가 말하는 죽은 신앙의 소유자들이다(약 2:17). 종교 놀이꾼들이다! 이들은 주변의 사회적 약자들에게 전혀 관심 없을 뿐만 아니라 그들을 이용하고 착취하는 자들이다. 오로지 자기중심적이며(self-centric), 이기적이며(selfish) 자기성취와 확장을 위해 골몰하며 이웃의 자원을 빼앗는 자들이다. 이들은 "빠뜨린 자들(하지 않는 자들)" 즉 "하지 않는 죄"(sin of omission)를 지은 죄인들이다. 선(善)을 알고서도 실천하지 않은 자들이다. 그들이 가야 할 곳은 오로지 멸망의 자리다.

인생은 자기중심적으로 취하고, 성취하고, 확보하고, 확장하는 데 있지 않다. 하나님의 영광을 위해, 그리고 이웃의 행복에 관심을 갖고 나누며 사는 데 있다.

2. 오른편(Dexios)에 설 복 받은 자들

오른편에 설 자들은 믿음을 기초하여 선(작은)을 행한 자들이다. 주변화되고(marginalized) 소외된(alienated) 사회적 약자에게 늘 관심을 갖고, 작은 선(善)을 행한 자들이다. 야고보가 말한, 죽은 믿음이 아닌 산 믿음의 소유자들, 열매 맺는 자들이다.

마태에 의하면, 마지막 심판의 기준은 "하지 않는 죄"(Sins of Omission) 혹은 "빠뜨린 죄"다. 선을 행하지 않은 염소들은 저주와 멸망의 왼편(Nunomos)에 서게 된다. 그러나 구원 얻을 자들, 즉 긍휼한 마음으로 지극히 적은 자에게 냉수 한 그릇의 의미를 실천한 자들은 심판주의 오른편(Dexios), 즉 구원의 자리에 서게 된다.

그들은 이 땅에 사는 동안에도 하나님의 은혜와 보호의 나래 아래 거하게

된다:

> "그가 재물을 흩어 빈궁한 자들에게 주었으니 그의 의가 영구히 있고 그
> 의 뿔이 영광 중에 들리리로다"(시 112:9)

> "그는 가난한 자와 궁핍한 자를 변호하고 형통하였나니 이것이 나를 앎
> 이 아니냐?"(렘 22:16)

레위 톨스토이는 부유한 귀족의 아들로 말년에 가진 것을 팔아 가난한
자들에게 나누어 주었다. 어느 날 거리를 지나다가 구걸하는 거지를 만났
다. 그는 아무리 주머니를 뒤졌지만, 그에게 줄 수 있는 것이라고는 하나도
없었다.

"형제여, 아무리 찾아도 당신에게 줄 수 있는 것이 없습니다. 당신은 예수
를 믿습니까? 내게는 예수의 이름 밖에 줄 것이 없습니다."라고 하면서 그의
손을 잡았다. 그러자 그는, "세상에 수많은 사람들이 나에게 동전을 던져
주었지만, 선생님처럼 귀한 것을 주신 분은 없습니다."라고 말했다.

영국 빅토리아 여왕이 나이팅게일에게 수여한 훈장에는, "긍휼을 행하는
길은 하나만 있는 것이 아니다. 돈으로써만 아니라 말로써도 할 수 있고,
눈물로써도 할 수 있다"는 그리스의 작가 '에우마티우스'의 글이 새겨져 있
다.

3. 그리스도인의 삶의 전략인 환대

불신앙의 사람들의 삶의 전략(strategy)은 자기중심(self-centeredness)

을 기초한 자기 확장과 이웃에 대한 착취다. 자신의 행복을 위해 어떻게 하든 자원을 늘리고 자기 유익을 위하여 다른 사람을 착취하고 이용하려든다. 그러나 그리스도인의 영성적 삶의 전략과 실재는 예수의 이름으로 하는 환대(hospitality)다.

환대의 원어 '호스페스(hospes)'는 주인(host)과 손님(guest) 모두를 의미한다. 근본적으로 환대라는 말 속에는 너와 내가 각자 개성을 가진 자로서 인격적인 만남과 사랑의 일치와 연합(unity)을 이룬다는 의미가 들어있다.

믿음의 조상 아브라함의 삶은 환대의 모형 혹은 실례다. 당시 베두인의 전통은 길 가는 나그네가 텐트 끈에만 닿아도 의무적으로 3일을 집안으로 들여 묵고 가게 했다. 그렇지만 아브라함은 멀찍이서 가는 나그네를 보고 달려가 그들을 집으로 환대해 들인다. 그들을 위해 떡과 우유와 버터와 살찐 고기로 만든 맛있는 음식을 손수 장만해 극진히 대접하며 푹 쉬고 갈 길을 가라고 한다(창 18:1-8). 나중에 드러난 사실이지만 그 나그네들은 다름 아닌 소돔 고모라 성을 멸망시키러 가는 하나님의 천사들이었고, 그로 말미암아 아브라함은 조카 롯을 구원하게 되는 은혜를 입게 되었다. 그러나 성에 도착한 천사들에 대한 롯의 환대는 질적으로 아브라함의 환대와 많은 차이가 있는 바, 의무 이상의 환대에 미치지 못한다(창 19:1-3).

금세기 최대의 영성가 헨리 나우웬은 그의 책 《상처 입은 치유자》에서 그리스도인의 영성적 삶의 본질과 핵심인 환대의 부재 혹은 결핍을 지적하였다:

"네가 남에게서 받고자 하는 대로 네가 먼저 남을 대접하라(마 7:11)는 기독교 황금률이 빛바랜 지는 이미 오래 된 것 같지만, 나의 삶의 자리 중심에 나를 두지 않고 다른 사람을 두는 자기부정 혹은 자기희생적 삶의 실천은 기독교의 공상적 환타지가 아니라 현실적인 힘이 있는 실재다. 문제는 우리가 그것을 실천하는 의지와 결단 그리고 헌신을 하느냐가 관건이며, 이는 산 믿음 혹은 살아있는 영성의 표지다.”

참된 환대에는 이기적인 목적이나 차별이 존재하지 않는다. 믿음을 갖는다지만, 이기(利己)의 바운더리(틀)나 법칙을 벗어나기란 결코 쉬운 일이 아니다. 수학(數學)의 법칙(타산)이나 상거래 법칙(이득)에 익숙한 우리들이 그 틀이나 법칙을 뛰어넘기란 용이하지 않은 것이 분명하다. 그래서 뭔가를 주면 되돌려 받을 것을 계산하는 것이 인지상정이다.

그러나 진정한 그리스도인의 삶의 본질이자 목표인 환대의 삶은 그렇지 않다. 줌(giving) 혹은 베풂 자체가 목적이자 기쁨이다. 그것 자체가 상급이다. 줌으로써 상대를 조종(manipulation)하고 지배(control)하거나 우위를 점령하고자 하는 의도는 결코 없다. 예수 그리스도께서 십자가에서 자신을 내어주심 같이 말이다.

그리스도는 식탁친교(table fellowship)를 통해 하나님의 차별 없는 사랑을 극적으로 드러내셨다. 식탁친교는 예수님께서 세상 죄인을 환대하시는, 그래서 하나님과 세상 죄인의 왜곡된 관계를 회복시키시는 성스러운 공간(the sacred place)이었다. 여기서 내어주신 예수님의 거룩하신 몸은 하나님과 세상 죄인을 신비하게 결합시키는 파스카(pascha)였다.

“어린아이는 가라(?)” “여자는 물렀거라(?)” “가난한 자, 병든 자, 그리고 못 배운 자들은 얼씬거리지도 말라(?)” “거룩하지 않은 자들은 가까이 말라

(?)"는 차별의 목소리는 소리만 없을 뿐이지 형태와 모습은 교회 안에 그리고 그리스도인의 삶에 없는가? 왜 예수께서 "지극히 작은 자"를 들먹거리셨을까? 작은 자는 기득권자들에게 기득권을 빼앗긴 총체적 사람들, 소외되고 주변화된 사람들이 아닐까?

교회는 거룩한 컨테이너(the holy Container)다. 누구든지 환대로 품을 수 있는, 또 품어야 하는 성스런 컨테이너다. 교회만 성스러운 공간 혹은 성스런 컨테이너이너가 아니다. 그리스도인 한 사람 한 사람 모두가 성스런 컨테이너가 되어야 한다. 라우폴 공이 자비와 적선을 구하는 거지를 긍휼한 마음으로 환대하여 껴안았듯이 말이다. 아브라함이 멀찍이 길 가는 나그네들(천사들)을 이해타산 없는 순수한 마음으로 껴안았듯이 말이다. 궁극적으로 하나님의 아들 예수께서 우리 같이 초라하고 냄새나는 죄인들을 껴안았듯이 말이다.

우리는 냉수 한 그릇으로 천국 문을 열 수 있다. 예수 그리스도의 이름으로(in the name of Jesus Christ) 우리의 도움과 환대를 필요로 하는 사람들에게 아무 가치도 없어 보이는 냉수 한 그릇을 대접하여도 하늘의 상이 크다. 수십 억 수천만 원 쏟아 부어야 하나님이 기쁘게 받으시는 제물이 아니다. 교회 가까이에 있는 이웃들에게, 그리스도인 가까이에 있는 이웃들에게 따스한 사랑의 마음을 품고 다가가면, 비록 이 추운 겨울에 냉수 한 그릇 마시게 하여도 주님이 기쁘게 받으시는 거룩한 제물이 될 것이다. 예수님을 영접하는 환대다. 라우폴 공이 찾던 거룩한 금잔이다.

4. 환대에 앞서는 긍휼

하나님은 우리를 긍휼히 여기시는 긍휼의 하나님(God of compassion)

이시다(시 25:6, 애 3:22, 호 11:8, 마 9:13).

긍휼(compassion)은 라틴어 com(함께)과 pati(고통하다, 아파하다)의 합성어다. 긍휼의 하나님은 죄로 말미암아 고통하는 우리와 함께 아파하시는 하나님이시다. 앞에서도 말했지만, 십자가는 긍휼하신 하나님이 우리의 고통에 참여한 자리다.

크리스천의 삶의 원리는 긍휼과 긍휼에서 우러나는 환대다. 만일 우리가 긍휼을 실천하지 않으면, 우리는 심판 날에 하나님의 긍휼하심을 입지 못한다(약 2:13)

* 냉수 한 그릇을 대접하고 있는가?

3 오늘 밤에 죽을 사람
- 재물을 의지하지 말라 -
(눅 12:13-21)

무리 중에 한 사람이 이르되 선생님 내 형을 명하여 유산을 나와 나누게 하소서 하니, 이르시되 이 사람아 누가 나를 너희의 재판장이나 물건 나누는 자로 세웠느냐 하시고, 그들에게 이르시되 삼가 모든 탐심을 물리치라 사람의 생명이 그 소유의 넉넉한 데 있지 아니하니라 하시고, 또 비유로 그들에게 말하여 이르시되, 한 부자가 그 밭에 소출이 풍성하매 심중에 생각하여 이르되 내가 곡식 쌓아 둘 곳이 없으니 어찌할까 하고 또 이르되 내가 이렇게 하리라. 내 곳간을 헐고 더 크게 짓고 내 모든 곡식과 물건을 거기 쌓아 두리라. 또 내가 내 영혼에게 이르되 영혼아 여러 해 쓸 물건을 많이 쌓아 두었으니 평안히 쉬고 먹고 마시고 즐거워하자 하리라 하되, 하나님은 이르시되 어리석은 자여 오늘 밤에 네 영혼을 도로 찾으리니 그러면 네 준비한 것이 누구의 것이 되겠느냐 하셨으니 자기를 위하여 재물을 쌓아 두고 하나님께 대하여 부요하지 못한 자가 이와 같으니라(눅 12:13-21)

장자의 제자 중 한 사람이 장자에게 질문했다: "선생님, 제가 오늘 정말 이상한 사람을 다 보았습니다. 글쎄, 이사를 가는데 하찮은 세간을 다 싣고 가면서도 자기 마누라는 잊어버린 채 그냥 갔습니다." 이에 대해 장자가 답했다. "나는 더 이상한 사람을 보았다. 글쎄 이사를 가는데 짐이란 짐, 가족이란 가족을 다 데려가면서 막상 자기는 빠뜨려놓고 가는 사람이 있더라."

이 이야기는 전도서 기자가 말하는 해 아래서의 폐단을 생각나게 한다. 주인은 말에서 내려 말고삐를 잡고 걸어가고, 좋은 말에 타고 가는 기현상 말이다(전 10:7)

오늘 본문의 부자는 "오늘 밤에 죽을 사람"(20절)이다. 그러나 그는 자기가 오늘 밤에 죽을 비극적인 운명의 주인공인 것을 모르고 있다. 불과 몇 시간 후면 닥칠 자신의 비극적인 운명을 짐작도 못하고, 그는 그 나름대로 행복에 겨워하고 있다. 그러나 그가 누리는 행복은 행복이 아니다. 행복에 겨워 내뱉는 그의 감탄사 - "내 영혼아, 여러 해 쓸 물건을 많이 쌓아두었으니 평안히 쉬고 먹고 마시고 즐거워하자"(19절) - 는 비탄한 죽음의 전주곡(前奏曲)이다.

성경은 말씀한다:

"존귀하나 깨닫지 못하는 사람은 멸망하는 짐승 같도다"(시 49:20)

"미련한 자의 안일은 자기를 멸망시키려니와"(잠 1:32)

실상 나름대로 땀을 흘려 일하여 부자가 된 것은, 게을러서 일을 하지 않아 가난하게 된 것보다는 훨씬 낫다. 칭찬받을 만하다. 그러나 그가 부를 축적한 것이 오로지 자신의 힘만으로 된 것이며, 부를 축적한 목적이 자신의 안일과 행복만을 위한 것으로 아는 것이 문제요 또한 위기인 것이다. 칼 바르트의 말대로, 하나님 없는 삶은 위기다!

이 사람은 분명히 "자기에게 해(害)가 되도록 재물을 지키는 자"(전 5:13)다. 부자가 쌓은 재물은 부자를 행복하게 해 주는 재물이 아니요, 부자를 멸망시키는 재물이다. 멸망으로 이끄는 죽음의 사자와도 같다. 한평생 모은 재물이 나를 죽이는 독이요 화살이요 나를 멸망시키는 지옥불이라는 사실을 알지 못할뿐더러, 깨닫지도 못하고, 알려고도 하지 않으니 "오호, 통제라!"이다. 오늘 성경 본문은 비극의 대서사시다.

1. 물리쳐야 할 탐심(플레오넥시아. 15절)

알렉산더 대왕과 랍비가 만났다. 랍비가 알렉산더 대왕에게 물었다:

> 랍비: "대왕께서는 저희가 가지고 있는 금은보화가 탐이 나십니까?"
> 알렉산더: "나는 금은보화는 많이 갖고 있기 때문에 탐이 나지 않습니다. 그러나 유대인들의 생활과 지혜, 그리고 정의는 알고 싶소."

(마침 그때 유대인 두 사람이 랍비를 찾아왔다.)

유대인A: "저는 저 사람에게서 고물 부스러기를 샀는데, 그 고물 속에서 뜻밖에 금이 든 항아리가 나왔습니다. 그래서 그것을 판 저 사람에게, '나는 고물만 산 것이지 이 황금 항아리는 안 샀으니 도로 받으라.' 해도 받지를 않습니다."

유대인B: "아닙니다. 나는 고물 전체를 팔았으므로 그 안에 무엇이 들어 있든 그것은 모두 고물을 산 사람의 것입니다."

두 사람은 계속 서로 금 항아리가 자기 것이 아니라고 했다. 두 사람의 말을 듣고 있던 랍비가 말했다:

랍비: "당신(유대인A)에게는 딸이 있고, 당신(B)에게는 아들이 있지요? 그 두 사람을 결혼시켜 그들에게 황금 항아리를 주어 살게 하시오."

이렇게 판결을 내렸다. 두 사람이 만족하여 돌아가자 랍비가 알렉산더에게 물었다.

랍비: "폐하의 나라에서는 이러한 경우에 어떻게 판결을 내립니까?"
알렉산더: "우리나라에서는 그런 경우, 두 놈을 다 죽이고 황금 항아리는 내가 갖습니다."

이 이야기는 유대 랍비와 알렉산더 대왕의 이야기이지만, 실상은 우리 자신들의 이야기다. 우리 내면에 잠재하고 있는 탐심을 두 사람의 대화를 통해 드러내고 있는 것이다.

인간을 파멸시키는 죄의 뿌리는 탐심이다. 라인홀드 니버는 "죄의 뿌리는 교만"이라 말했는데, 교만의 뿌리는 바로 탐심이다. 하나님께서 주신 십계명을 다 어기게 만드는 죄의 뿌리는 탐심이다. 물질에 대한 탐욕, 명성에 대한 탐욕, 육신의 쾌락에 대한 탐욕, 이 세 가지 탐욕이 탐욕의 전형이다.

오늘 본문의 부자는 물질에 대한 탐욕 때문에 행복의 감탄사를 발하던 그날 밤에 죽었다. 하나님을 알지 못한, 하나님의 은혜를 감사하지 못한 그는, "그날 밤" 비참한 죽음으로 빠져들었다. 땀 흘려 모은 재물을 제대로 한 번 써보지도 못하고 죽었으니 억울한 죽음, 비참한 죽음이다!

다음 날 해가 중천에 뜨도록 주인의 모습이 나타나지 않자, 그의 가족과 식솔들이 방문을 열어보았다. 그는 싸늘한 시체가 되어 있었다. 그의 눈은 그가 쌓아놓은 재물 때문에 감겨있지 않았다. 그가 쌓아놓은 재물에 대한 집착 때문에 두 눈은 부릅떠 있었다. 죽음의 사자의 손을 뿌리치려고 발버둥친 흔적이 그의 표정과 모습에서 역력했다. 부자의 행복의 감탄사는 바로 다음 날 호곡(號哭)으로 바뀌었다. 양식으로 가득한 부자의 집에 눈물의 통곡소리가 가득했다.

오늘 우리의 삶 역시 위기의 삶이다. 하나님을 신뢰하는 대신에 재물을 의지하고 사는 우리의 삶에 어느 순간 하나님께서 죽음으로 개입하실지 알지 못한다. 우리 역시 "오늘 밤 죽을 자"일 수도 있다. 자위하고 감탄하는 우리의 감탄사를 하나님은 어느 순간 호곡(號哭)으로 바꾸실지 모르는 위기의 삶이다!

탐욕은 비단 물질(돈)에만 국한되지 않는다. 그것은 명예의 영역에서도, 쾌락의 영역에서도 힘을 발휘한다.

아나니아와 삽비라는 명성의 탐욕에 희생된 자들이다(행 5장) 바나바가 순수한 마음으로 재산을 팔아 교회에 바쳐 명성을 얻는 것을 보고는, 그 부부도 명성을 얻기 위해 재산을 판 다음 얼마는 감추고 일부는 바쳤다. 결국 그 부부는 재산을 바치고도 명성에 대한 탐욕 때문에 저주를 받아 죽었다.

하나님의 사람 삼손은 육신의 쾌락에 대한 탐욕 때문에 멸망한 사람이다. 삼손에 관한 성경의 장(章) 서두마다 "삼손이 여자를 찾아 내려갔더라"고 밝히고 있다:

> "삼손이 딤나에 내려가서 거기서 블레셋 사람의 딸들 중에서 한 여자를 보고"(삿 14:1)

> "얼마 후 밀 거둘 때에 삼손이 염소 새끼를 가지고 그의 아내에게로 찾아 가서"(삿 15:1)

> "삼손이 가사에 가서 거기서 한 기생을 보고 그에게로 들어갔더니"(삿 16:1)

어떤 인물에 대한 평가를 내릴 때, 평가서 첫 페이지에 그리고 반복적으로 여자를 찾아가는 모습을 담는다는 것은 무엇을 뜻하는 것일까? 여색(女色)을 밝히는 사람! 육신의 정욕과 쾌락을 좇는 사람! 그런 뜻이다.

오늘 밤 죽을 부자의 끝을 모르는 탐심은 "더 크게 짓고"(18절)라는 그의 말 속에 숨어 있다. '더 많이' '더 크게' '더 강렬하게' 등의 현대인의 말 속에 인간의 끝없는 탐심이 도사리고 있다.

'더'라는 말은 우리의 영혼을 죽이기 위해 사탄 마귀가 파놓은 함정이다.

우리의 영혼을 파멸로 이끌기 위한 사탄의 속삭임이다.

'플레오넥시아'(pleoneksia)는 '더 많은 것을 갖고자 하는 인간의 의도'다. 베드로후서 1장 19절에 의하면, 천사들의 타락과 심판, 노아 시대 사람들의 대한 하나님의 진노와 심판, 소돔 고모라 성에 대한 하나님의 심판, 브올의 아들 발람의 타락과 그에 대한 하나님의 저주와 심판 등은 모두 '플레오넥시아'(pleoneksia) 탐욕 때문이었다. 무엇이든 '더'를 경계해야 한다:

"삼가 모든 탐심을 물리치라"(눅 12:15)

2. 탐심 대신 감사

탐심의 나무는 감사하지 않는 마음의 밭에서 뿌리를 내리고 자란다. 탐심을 멀리하기 위해, 탐심의 희생물이 되지 않기 위해 감사하는 마음을 갖도록 해야 한다. 믿음은 감사를 자양분으로 하여 자란다(살전 5:16-18).

이스라엘 명언은 "가장 부유한 자는 처한 환경에 만족하고 감사하는 자"라고 한다. 에메토 마사루는 "귀가 둘이고 입이 하나이듯이, 감사 2, 사랑 1의 비율로 살아가는 것이 바른 삶이다."라고 했다.

탐심과 멸망에서 자기를 지키는 길은 감사다. 이런 감사는 소극적인 감사다. 하나님께서 원하시는 것, 우리가 마땅히 해야 할 감사는 적극적인 감사다. 그러면 무엇이 적극적인 감사일까?

1) 환경을 초월한 적극적인 감사

성 크리소스톰의 감사는 모든 환경을 초월한 감사의 실례다. 평소에 범사에 감사생활 하던 그는 전도하다가 붙잡혀 옥에 갇혔다. 그는 옥중에서 감사했다: "주님, 감사합니다. 옥중의 죄수들을 복음화하려고 옥에 보내심을 믿고 감사합니다." 얼마 있다가 그는 사형선고를 받았다. 사형선고를 받은 후에도 그는 감사했다: "주님, 감사합니다. 성도의 가장 아름다운 죽음이 순교인데, 저같이 부족한 자에게 순교의 은혜를 주시니 감사합니다." 그런데 뜻하지 않게 사형이 중지되었다. 그럴 때 그는 감사했다: "주님, 감사합니다. 아직도 종에게 할 일이 남았다는 것입니까?"

먹어도 감사, 못 먹고 주려도 감사, 입어도 감사 벗어도 감사, 사업이 부진해도 감사 잘 되어도 감사, 장사가 못 되어도 감사 잘 되어도 감사, 죽어도 감사 살아도 감사, 모든 것이 감사가 되는 믿음의 사람이 되어야 한다.

2) 힘을 다하는 적극적인 감사

힘을 다하는 감사는 계산에서 나오는 감사가 아니다. 계산에 근거한 감사는 감사가 아니라 이해타산이다. 하나님과 이해타산의 관계는 시장에서나 하는 거래다. 시장에서 이뤄지는 거래는 인격적인 관계가 아니다. 자기의 속셈만을 만족시키는 생존전략이다. 그런 자는 하나님께로부터 오는 복을 결코 받을 수 없다.

그래서 성경은, "인색함으로나 억지로 드리지 말라"(고후 9:7-8)고 말씀한다. 인색(루페 lupe)은 '슬픔, 성가심'이며, 억지(아낭케 anangke)는 '필요'다. 하나님 앞에 드리는 데 있어서 드리는 것 자체를 슬픔으로 여기는 것(마지못해 드리는 것), 그리고 나의 필요를 채워주실 것을 계산하고 드리는 것을 하나님은 기뻐하시지 않는다는 뜻이다. 하나님은 즐거운 마음으로 드리는 자를 기뻐하신다.

3) 최선의 것을 드리는 적극적인 감사

하나님은 아벨과 아벨의 제물은 받으시고, 가인과 가인의 제물은 받지 않으셨다. 그 이유는 아벨은 그의 삶이 하나님이 받으시는 예배의 삶이었을 뿐만 아니라 최선의 제물 - 양의 첫 새끼와 기름 - 을 드렸고, 가인은 평소 하나님을 예배하는 삶이 아니라 악한 자에게 속한 삶을 살다가(요일 3:12, 유 11), 형식적인 제물 - 곡식 중의 일부 - 을 하나님께 가져왔기 때문이었다.

우리가 드리는 감사는 환경을 초월하는 감사, 힘을 다하는 감사, 최선의 것을 드리는 감사가 되어야 한다. 감사하는 우리에게 하나님께서는 복된 내일을 준비하실 것이다.

진정한 축복은 감사할 때부터 시작된다.

미국 부통령을 지낸 A. 바클리의 고백이다: "나의 아버지가 큰 집을 짓게 된 것이나 많은 농토를 소유하게 된 것이 복이 아니라, 나의 아버지가 진정으로 하나님께 감사할 수 있게 된 바로 그 순간부터 우리 집에 진짜 축복이 시작되었다."

4) 자족하는 생활

사도 바울은 높은 데도 처하고 낮은 데도 처하며, 부한 데도 처하고 가난한 데도 처했다. 다시 말해, 그는 그리스도 안에서 항상 자족하는 삶을 살았다:

"어떠한 형편에든지 나는 자족하기를 배웠노니, 나는 비천에 처할 줄도 알고 풍부에 처할 줄도 알아 모든 일 곧 배부름과 배고픔과 풍부와 궁핍에도 처할 줄 아는 일체의 비결을 배웠노라. 내게 능력 주시는 자 안에서 내가 모든 것을 할 수 있느니라"(빌 4:11-13)

그는 말한다:

"자족하는 마음이 있으면 경건은 큰 이익이 되느니라"(딤전 6:6)

자족(유세베이아 εὐσέβεια)은 '하나님을 믿는(의지하는) 믿음'이라는 의미다. 살아서 역사하시는 하나님을 믿고 신뢰하고 의지하는 자는 그것이 어떠하든지 자신이 처한 현실을 하나님이 주신 은혜의 현실로 받아들이며 감사할 수 있다(살전 5:18). 그래서 그 또는 그녀는 '만나 인생'(life of Manna)을 즐겁게 살 수 있다. 이스라엘이 광야 40년 생활을 할 때, 하나님은 일용할 양식 만나를 매일 필요한 만큼 내려주셨다(출 16:13-18, 시 78:25).

자족하는 자는 물질에 대한 탐욕을 경계한다:

"부하려 하는 자들은 시험과 올무와 여러 가지 어리석고 해로운 욕심에 떨어지나니, 곧 사람으로 파멸과 멸망에 빠지게 하는 것이라. 돈을 사랑함이 일만 악의 뿌리가 되나니 이것을 탐내는 자들은 미혹을 받아 믿음에서 떠나 많은 근심으로써 자기를 찔렀도다"(딤전 6:9-10)

뿐만 아니다. 자족하는 하는 염려로부터 해방된다:

"그러므로 내가 너희에게 이르노니 목숨을 위하여 무엇을 먹을까 무엇을 마실까 몸을 위하여 무엇을 입을까 염려하지 말라. 목숨이 음식보다 중하지 아니하며 몸이 의복보다 중하지 아니하냐 … 누가 염려함으로 그 키를 한 자라도 더할 수 있겠느냐 … 그러므로 염려하여 이르기를 무엇을 먹을까 무엇을 마실까 무엇을 입을까 하지 말라. 이는 다 이방인들이 구하는 것이라. 너희 하늘 아버지께서 이 모든 것이 너희에게 있어야 할 줄을 아시느니라"(마 6:25-32)

"아무 것도 염려하지 말고 다만 모든 일에 기도와 간구로, 너희 구할 것을 감사함으로 하나님께 아뢰라. 그리하면 모든 지각에 뛰어난 하나님의 평강이 그리스도 예수 안에서 너희 마음과 생각을 지키시리라"(빌 4:6-7)

염려(메림나오 merimnao)는 '마음이 갈라지다 혹은 찢어지다'라는 뜻이다. 곧 살아계신 하나님을 향한 온전한 마음이 아니라 세상과 하나님께 양다리 걸치는 것이다. 마음에 정함(깨끗함)이 없는 것이다. 이럴 경우, 그 또는 그녀에게 하나님은 자신의 필요를 채우기 위한 도구적인 하나님(deus ex machina)이 되는 것이다. 디트리히 본 회퍼(D. Bonhaeffer)는 이런 하나님을 "벽장 속의 하나님"이라고 했다. 평소에는 하나님을 벽장 속에 넣어두고 있다가 아쉬울 때나 절박한 때는 벽장으로 달려가서 문을 열고, "오, 하나님! 도와주소서!"(O my God, please help me) 하고 부르짖는다. 그러나 필요와 아쉬움이 없을 때는 그 하나님을 벽장 속에 도로 넣어두는 것이다. 평소에는 새벽기도 하지 않다가 위급한 일이 생기거나 입시철이 되면 새벽기도 나오고, 그때가 지나면 다시 나오지 않는 모습이 바로 요즘 미성숙한 신자들이 소유한(?) 하나님이다.

참된 신자는 물질을 의지하지 않는다. 물질을 탐하지 않는다. 참된 신자는 살아계신 하나님을 믿고 신뢰하며, 자족하는 삶을 산다. 내일 일을 모르는 자가, 오늘 밤이 마지막 날이 될 수 있는 자가 내일의 탐욕을 지향하는 것은 실로 큰 어리석음이다!

* 오늘밤 죽을 운명인 것을 아는가?

4 인생의 아멘 코스(Amen Course)

(출 15:22-25a)

모세가 홍해에서 이스라엘을 인도하매 그들이 나와서 수르 광야로 들어
가서 거기서 사흘 길을 걸었으나 물을 얻지 못하고 마라에 이르렀더니
그곳 물이 써서 마시지 못하겠으므로 그 이름을 마라라 하였더라. 백성
이 모세에게 원망하여 이르되, 우리가 무엇을 마실까 하매 모세가 여호
와께 부르짖었더니 여호와께서 그에게 한 나무를 가리키시니 그가 물에
던지니 물이 달게 되었더라(출 15:22-25a)

미국의 조지아 주 오거스타 내셔널 골프장에는 매년 4월, 세계 골프 대회
가 개최된다. 그런데 이 골프장의 13번 홀은 난이도가 매우 높기로 정평이
나 있다고 한다. 그래서 골퍼들은 그 누구를 막론하고 이 13번 홀에 이르
면 기도하는 마음을 갖지 않을 수 없다고 한다. 그래서 이 13번 홀을 '아멘
코스'(Amen Course)라고 부른다.

우리의 인생에도 아멘 코스가 많이 있다. 오거스타 골프장에는 13번 홀
한 개의 아멘 코스가 있지만, 우리 인생에는 아멘으로 넘어야 할 아멘 코스
가 수도 없이 많다.

1. 인생에서 만나는 마라

누구의 인생에나 마라(חם 고통)가 있기 마련이다. 출애굽 이후, 약속의 땅을 향하던 이스라엘 백성도 우리처럼 마라를 만났다(이스라엘 백성의 삶을 축소하면 한 인간의 삶과 같다. 역으로 한 인간의 삶을 확대하면 이스라엘 백성의 삶과 같다: A. Richardson). 출애굽의 기적과 홍해의 갈라짐, 그리고 그 뒤를 추격하던 바로 왕 군대의 수장(水葬)이라는 큰 기적 바로 뒤에 인생의 마라가 가로막고 있었다.

마라를 마주 대하는 것은 큰일이지만, 실상 마라는 출애굽과 홍해 사건에 비하면 작은 사건이었다. 하나님의 권능의 손이 아니었으면 출애굽이 가능했겠으며 바다가 갈라지는 전대미문의 사건이 가능했겠는가?

아쉽게도 마라를 만난 이스라엘 백성은 마라 앞에서 '아멘'을 잃어버렸다. 아멘이 실종되었다. 아멘 대신 그들은 그들을 위해 하나님이 세우신 지도자 모세를 끝없이 원망하고 그 뒤에 계신 하나님을 원망했다.

우리는 어떠한가? 불기둥과 구름기둥으로 보호와 인도를 받는 우리는 마라 앞에서 '아멘'을 잃어버리지 않았는가?

2. 고난(고통)은 신앙 성숙을 위한 하나님의 손길

로마서 5장 1-5절에서, 고통은 신자의 영적 성숙(온전, Wholeness)을 위한 하나님의 손길로 묘사한다. 믿음으로 의롭다함(칭의)의 은총을 입고 하나님과 화평의 관계에 있는 성도, 은혜 안에 들어갔으며 하나님의 영광을 바라보며 즐거워하는 성도에게도 고난은 찾아온다고 말씀한다:

"그러므로 우리가 믿음으로 의롭다 하심을 받았으니 우리 주 예수 그리스도로 말미암아 하나님과 화평을 누리자. 또한 그로 말미암아 우리가 믿음으로 서 있는 은혜에 들어감을 얻었으며 하나님의 영광을 바라고 즐거워하느니라. 다만 이뿐 아니라 우리가 <u>환난</u> 중에도 즐거워하나니, 이는 환난은 인내를, 인내는 <u>연단</u>을, 연단은 소망을 이루는 줄 앎이로다. 소망이 우리를 부끄럽게 하지 아니함은 우리에게 주신 성령으로 말미암아 하나님의 사랑이 우리 마음에 부은바 됨이니"(롬 5:1-5)

'환난'(트리부룸 tribulum 라틴. tribulation 영)의 원어는 로마시대 농부들이 사용하는 탈곡기다. 탈곡기는 원통의 나무에 뾰족한 큰 못이 빙 둘러 박혀 있어서, 돌아가는 이 탈곡기에 수확한 쌀이나 보리 단을 넣으면 껍질은 껍질대로, 알곡은 알곡대로 한 곳에 모인다. 성도가 고난의 탈곡기에 들어가면 인격의 불순물들이 걸러지게 되어 영적으로 성숙하게 된다.

'연단'(카락터 karakter 라틴. character 영)의 원어는 조각가들이 쓰는 조각도. 조각가가 조각도를 사용하여 나무나 돌, 혹은 대리석을 깎아나갈 때, 그 나무나 돌, 혹은 대리석은 얼마나 아프고 고통스럽겠는가? 그러나 깎여나가는 과정 후에는 조각가가 마음에 품은 걸작품(masterpiece)이 탄생한다. 마찬가지로 하늘의 조각가가 고난이라는 조각도를 사용하시면, 신자들의 신앙 인격은 성숙하고 온전해져 하나님이 마음에 그리시는 훌륭한 걸작품 - 거룩하고 흠 없고 책망할 것이 없는(골 1:22) 영광스런 하나님의 자녀가 된다.

이와 같은 고난 혹은 고통의 과정 속에 있는 신자에게 하나님의 사랑은 더 부어진다. 평소에도 자식을 아끼고 사랑하는 부모가 어린 자식이 아플

때 더 많은 관심과 사랑을 부어주는 것과 같다. 내가 중학생이었을 때 맹장염 수술을 받은 적이 있다. 3일간 물 한 방울 입에 대지 못하고 고통으로 신음할 때, 평소 나를 사랑하시던 어머님은 더 큰 사랑을 부어주셨다. 어머님은 내 곁에서 떠나지 않으시고 사흘 동안 잠도 제대로 못 주무시고 나를 정성껏 돌봐주셨다. 나는 그때 어머니께서 사랑을 부어주시는 것을 알았다.

고난은 우리를 만지시는 하나님의 손길이다.

3. 쓴물을 단물로 만든 나무: 예수 그리스도의 십자가

하나님은 모세에게 나무를 물에 던지라고 하셨고, 모세는 말씀에 순종하여 지시하신 나무를 모세가 물에 던지니 마실 수 없던 쓴물이 마시기에 좋은 단물로 변했다. 우리는 아멘의 신앙으로 쓴물을 단물로 만들 수 있다. 우리가 하는 것이 아니라, 아멘의 신앙을 가지면 하나님께서 쓴물을 단물로 만들어주시는 것이다.

복음주의 신학자들은 이 나무를 예수 그리스도의 십자가의 상징과 예표로 해석한다. 십자가는 쓴 사람을 단 사람으로 바꿀 수 있다. 쓴 인생을 단 인생으로 바꿀 수 있는 능력이 있다. 인생의 어려움을 인생의 즐거움으로 바꿀 수 있는 능력이 있다.

찢어지게 가난했지만, 믿음을 지키며 십일조를 드리는 로젠버그(Rosenberg)라는 소년이 있었다. 이 소년은 믿음과 성실만이 성공으로 이끌 수 있음을 확신하고, 가난에 굴복하지 않고 살았다. 그 결과, 그는 30세 되던 해에 〈모빌 런치 서비스〉(Mobill Lunch Service)라는 회사를 창립하게 되었고, 이어 세계적인 도너츠를 개발하게 되었다. 그것이 바로 〈던킨 도너츠〉(Dunkin Donuts)다.

로젠버그는 그의 72세 생일 축하연에서, "나는 가난과 교육 부재의 환경에서 자랐습니다. 그러나 하나님께서는 제 짐을 맡아주셨습니다. 성공은 지식에 있지 않고 삶의 태도에 있다고 믿습니다."라고 간증했다. 로젠버그는 인생에서 만난 마라를 아멘으로 극복하고 승리한 사람 중의 하나다.

4. 마라는 하나님의 능력과 축복을 체험할 수 있는 기회

"위기는 기회"라는 말이 있지 않는가?

마라를 통과하고 나니 엘림(אלרם)이 예비되어 있었다. 엘림은 '큰 나무들'(large trees)이란 뜻이다. 이곳은 현재의 와디 그란델(Wadi Ghrandel)로서, 맑고 풍부한 물과 종려나무들이 만들어 주는 시원한 그늘이 있는 곳이다. 인생의 길을 걷다가 어려운 마라를 만나면 마라만 바라보지 말고 마라 너머에 준비된 엘림을 믿음의 눈으로 바라볼 필요가 있다.

웨슬레 목사가 어느 날 사업에 실패하여 고민하는 친구와 한 목장 곁을 지나가게 되었다. 그런데 소들이 풀을 뜯어 먹다가 한편에 길게 쳐 놓은 돌담이 있는 곳에 이르자, 모두 머리를 들었다. 이를 지켜본 웨슬레 목사는 그 친구에게, "이 사람아, 저 소들을 보게나. 담장 앞에서 모두 머리를 들고 하늘을 보지 않는가? 우리도 앞을 볼 수 없을 때에 하나님을 바라보고 간절히 간구해야 하네. 그러면 하나님께서 해결해 주신다네."라고 말했다고 한다.

그렇다! 우리도 인생길을 걷다가 힘든 마라를 만나면, 소들이 담장 앞에서 머리를 든 것처럼 머리를 들어야 한다. 믿음의 주, 아멘의 주(Lord of Amen)를 바라보아야 한다(사 65:16, 히 12:1).

지금과 같은 마라 앞에서 좌절하거나 희망을 포기하지 말고 아멘의 믿음

가져야 한다. 괴테는, "돈을 잃는 것은 가벼운 손실이요, 명예를 잃는 것은 중대한 손실이며, 용기를 잃는 것은 보상받을 수 없는 손실이다."라고 했다. 더 나아가 용기를 잃는 것보다 더 큰 손실은 믿음을 잃는 것이다.

* 마라 배후의 엘림을 바라보고 있는가?

5 참새의 운명
– 염려하거나 두려워하지 말라 –
(마 10:29, 눅 12:6)

참새 두 마리가 한 앗사리온에 팔리지 않느냐. 그러나 너희 아버지께서 허락하지 아니하시면 그 하나도 땅에 떨어지지 아니하리라(마 10:29)

참새 다섯 마리가 두 앗사리온에 팔리는 것이 아니냐 그러나 하나님 앞에는 그 하나도 잊어버리시는 바 되지 아니하는도다(눅 12:6)

예수님의 제자들이 살아갈 당시의 세상 환경은 경제적 난국이었으며 또한 복음을 위한 사역에 많은 장애물과 위협이 있기로, 예수님은 참새의 운명을 비유로 드셔서 제자들이 당면한 삶에 대한 염려 문제와 앞으로 받을 위협으로 인한 두려움의 해결을 말씀하고 계신다. 실상 염려와 두려움, 이 두 가지는 삶에 깊숙이 게재된 핵심적인 문제다.

1. 염려할 상황인가?

예수님은 이미 산상수훈에서 "염려하지 말라"고 권면하셨다(마 6:25-32). 염려가 백해무익하다는 것을 말씀하시면서, 먼저 하나님 나라와 의를 구하면, 삶에 필요한 기본적인 것을 공급해주신다고 강조하셨다.

오늘 본문에 의하면, "두 앗사리온에 팔리는 참새 네 마리에 덤으로 끼어주는 한 마리 참새"에게도 하나님의 관심과 돌보심이 있다고 말씀하신다(한 앗사리온에 두 마리이면 두 앗사리온에 네 마리이다. 그리고 한 마리를 덤으로 끼워주면 다섯 마리가 된다).

하루 노동자 임금의 16분의 1의 값(참조: 앗사리온=페니. 로마의 화폐 단위로서 노동자 하루 임금에 해당하는 1 데나리온의 16분의 1)에 해당하는 미물 하나에도 지극한 관심을 갖고 돌보시는 하나님께서 참새보다 귀한 당신의 자녀들에게 관심을 갖지 않으시며 돌보시지 않겠느냐는 것이다.

염려는 어떻게 오는가? 정말 염려해야 할 상황인가?

성경에 "염려하지 말라"는 말이 365회 기록되어 있다고 한다. 1년이 365일인 것을 생각하면 하루도 염려하지 말라는 말씀이다.

염려에 대한 어느 심리학자의 분석에 의하면, 일어날 수 없는 쓸데없는 것에 대한 염려가 40%, 지나가버린 과거의 것에 대한 염려가 30%, 앞으로 있을지도 모를 미래의 가상이 10%, 그리고 자신과 상관없는 일에 대한 염려가 12%였다고 한다. 어느 크리스천 의사가 임상실험을 통해서 위장병의 80%가 신경성 때문에 발생하고, 한센병의 60%는 정신적 신경성이며, 류머

티즘 관절염도 이와 마찬가지라는 발표를 한 적이 있다. 그는 모든 현대병은 염려병이라는 결론을 얻었다고 한다.

'염려'라는 메림나오(merimnao)는 '나누다'(merice)라는 말과 '마음'(nous)이라는 말의 합성어이다. 즉 염려는 '나누어진 마음'이다. 마음이 나누어지면 자연히 마음이 복잡해지기 마련이다. '어지러울' 환(患)자를 보자. 마음이 둘로 나눠지니까(마음이 두 군데 있다) 어지러운 것이다. 마음이 나눠져 복잡하니까 일이 손에 잡히지를 않는 것이다.

영어로는 'worry'라고 하는데, 이 말의 어원은 '물어뜯다, 목 졸라 질식시키다'라는 뜻이다. 염려는 느린 형태의 자살이라고 말하는 사람도 있다. 그래서 성경은 "네 염려를 주께 맡기라. 이는 주가 너희를 돌보심이라"(벧전 5:7)고 말씀하는 것이다. 여기서 맡긴다는 것은 '던져버리는 것'이다. 우리가 염려를 하나님께 맡길 수 있는 이유는, 던져버릴 수 있는 까닭은, 삶의 짐을 하나님께서 대신 져 주시기 때문이다. 하나님은 "날마다 우리 짐을 지시는 구원의 하나님"이시다(시 68:19)

미국의 콜로라도 주 '롱 봉우리'에는 400년 된 거목이 쓰러져 있다고 한다. 이 나무는 오랜 세월 지내면서 14번 벼락을 맞고, 수많은 눈사태와 폭풍우를 견뎌냈다고 한다. 그런데 어느 날부터인가 딱정벌레들이 갉아먹기 시작하여 더 이상 버티지 못하고 쓰러지게 되었다고 한다. 다시 말해서, 밖으로부터의 압력에 의해서가 아니라, 내부에서 발생한 딱정벌레들이 400년 된 거목을 쓰러지게 했다는 사실이다. 염려, 근심, 걱정은 이와 같이 우리 인생을 망가뜨리는 요인이 될 수 있다.

세계의 백화점 왕 J. C. 페니는 목사의 아들로서 사업에 몸을 담았다. 심한 재정난에 부딪쳤던 그는 자살 직전까지 갔다. 미시간 주 베틀클릭 격리병원에 수용되기에 이르렀다. 어느 날 아침, 낙망하고 좌절한 페니에게 나지막한 찬송 소리가 들렸다. 그는 무거운 몸을 이끌고 맥없이 그곳을 찾아갔는데, 어떤 건물에서 기도회가 열리고 있었다. 그 기도회 뒷자리에 앉았는데, 매우 친숙한 찬송, "너 근심 걱정 말아라, 주 너를 지키리"가 불리고 있었다. 그 찬송으로 그는 마음에 큰 확신을 갖게 되었다.

그는 외치기 시작했다: "사랑하는 하나님, 나는 아무 것도 할 수 없습니다. 나를 도와주세요!" 그 이후 그는 고백하기를, "나는 무한한 어두운 공간에서 찬란한 태양으로 옮겨지는 느낌이었고, 마음속의 무거운 짐이 옮겨지면서 그 방을 나올 때 나는 새로운 사람이 되었다. 나는 마비된 심령으로 풀이 죽어 들어가 해방된 기쁜 마음으로 나왔다."고 했다. 믿음으로 염려에서 해방된 그는 결국 백화점 왕이 되었다.

어떤 여집사님의 아들이 결혼하게 되어서 결혼 준비로 부산하게 되었다. 그리고 특별히 기도하기를 "좋은 날을 주셔서 많은 사람들이 와서 축하해 주었으면 좋겠다."고 했다. 그런데 결혼식 당일이 되었는데, 아침부터 비가 부슬부슬 내렸다. 집사님은 하늘을 올려다보며 "비가 오지 않아야 손님들이 많이 오는데 결혼식을 완전히 망쳤구나." 하면서 원망했다. 그러나 결혼식이 다가오자 사람들이 하나 둘씩 모여드는데, 의외로 많은 사람들이 결혼식에 참여하게 되었다. 어찌된 영문인지 알아보니까, 비가 오기 때문에 다른 약속을 다 취소하고 왔다는 것이다. 비가 와서 더 많은 사람이 오게 된 것이다.

우리가 우리의 염려를 믿음으로 하나님께 맡길 때 하나님께서는 염려를 대신 담당해 주시고 우리의 마음에 평안을 주신다. 99%를 맡긴다 하더라도 1%라도 내가 지니고 있으면 이것은 맡긴 것이 아니다.

요한 웨슬레는 99% 크리스천(almost Christian)은 크리스천이 아니라고 했다. 100% 크리스천이라야 온전한 크리스천이다. 같은 원리다. 100% 전체를 하나님의 손에 맡겨야 온전히 맡긴 것이며 그때야 비로소 하나님의 도우시는 손이 움직이는 것이다. "사람의 마지막이 하나님의 시작이다."

나뭇가지에 앉은 참새들이 대화를 하고 있었다. 한 참새가 말했다:

> 참새a: "우리들은 염려 없이 사는데, 우리보다 낫다고 생각하는 인간들은 왜 저리도 염려하지?"
> 참새b: "저들에게는 우리들처럼 하나님이 안 계신 모양이지?"

2. 두려워할 상황인가?

염려와 마찬가지로 '두려움'은 우리의 삶을 방해하는 요소다. 우리의 삶이 앞으로 나가는 것을 가로막는 것은 두려움이다. 우리는 우리 앞길에 가로놓인 장애물이나 위협적인 요소를 두려워할 수 있지만, "참새 한 마리라도 하나님의 허락이 없으면 땅에 떨어지지 않는다." 하나님의 결재가 없으면, 그 어떤 것도 우리를 넘어뜨릴 수 없다. 삶과 죽음, 일어섬과 넘어짐 등 모든 것은 하나님의 손에 달려 있다.

우리가 두려워해야 할 대상은 첫째는 하나님, 둘째는 하나님의 말씀이다 (사 66:2: "내 말을 듣고 떠는 자 그 사람은 내가 돌보려니와[honor]-높여 주려니와"; 참조: 에스라 9:4, "이에 이스라엘의 하나님의 말씀으로 말미암아 떠는 자가…" 에스라 10:3, "우리 하나님의 명령을 떨며 준행하는 자").

하나님과 하나님 말씀 외에는 두려워할 것이 없다. 우리의 문제는 우리가 두려워할 것은 두려워하지 않고, 두려워하지 않을 것은 두려워하는 것이다. 두려움의 대상을 바꾸는 것이 우리의 과제다. 던(Dunn)은 "하나님을 두려워하는 것(Fear of God)이 최선이라"고 말했다. 하나님을 두려워하면 다른 어떤 것도 두렵지 않기 때문이다.

풍랑으로 인하여 뒤흔들리는 배 안에 있던 예수님의 제자들은 큰 두려움에 빠져있었다. 그들은 지금 만왕의 왕 예수님께서 배 안에 계시다는 사실을 까맣게 잊고 있었다. 만일 그들이 예수님께서 배 안에 계신다는 사실, 그리고 예수님이 함께 계시면 풍랑이 아니라 그 어떤 것도 배를 뒤집어놓을 수 없다는 사실을 믿었더라면 마음이 흔들리며 두려움에 빠지지 않았을 것이다. 문제는 그들에게 믿음이 없었다는 것이다(막 4:40). 그들의 믿음은 실종되었다(눅 8:25).

믿음이 있어도 믿음이 작으면 역시 두려움에 사로잡힐 수 있다. 베드로는 물 위로 걸어오시는 예수님의 "물 위로 오라"는 말씀을 듣고 배에서 내려 물 위를 걷다가 바람을 보고 두려움에 빠졌다. 그래서 물에 빠져 "살려달라"고 고함쳤다(마 15:22-33). 베드로가 만일 앞에 서 계신 예수님을 바라보고 의지했다면 두려움으로 인해 물에 빠지지 않았을 것이다.

지금 우리 주변의 상황은 심히 걱정할 상황이다. 죽음에 대한 공포보다도 삶에 대한 공포가 더 크다. 하루에도 수십 개의 중소기업이 문을 닫는다. 가게들의 셔터도 줄줄이 내려지고 있는 형국이다. 실직자가 늘어나고 있다. '코르헨티나'란 말이 설득력을 얻고 있다. 이대로 나가다간 아르헨티나처럼 한국 경제의 배가 침몰하지 않나 하는 염려와 두려움이 내심 팽배하다.

그러나 염려하지 말고 두려워하지 말아야 한다. 믿음으로 염려와 두려움의 물결을 헤쳐 나가야 한다. '임마누엘!' 하나님이 우리와 함께하신다. 하나님이 우리와 함께 계시기만 하면 "댓즈 잇"(that's it), "끝"이다.

* 아직도 염려하는가?

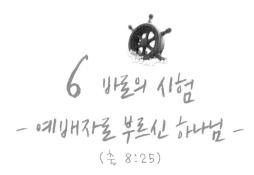

6 바로의 시험
- 예배자를 부르신 하나님 -
(출 8:25)

[모세가 바로에게] 이르기를 히브리 사람의 하나님 여호와께서 나를 왕
에게 보내어 이르시되, 내 백성을 보내라. 그러면 그들이 광야에서 나를
섬길 것이니라 … 바로가 모세와 아론을 불러 이르되, 너희는 가서 이
땅에서 너희 하나님께 제사를 드리라(출 7:16, 8:25)

어떤 목사님이 헨리 비처 목사 대신 설교를 하게 되었다. 많은 사람들이
유명한 비처 목사의 설교를 듣기 위해 모였다. 설교 시간이 되어 비처 목사
가 설교를 못하게 되었다고 하자 사람들이 자리에서 일어나 나가려고 했
다. 그러자 설교를 맡은 목사님이 강단에 올라가, "여러분은 헨리 비처 목
사님을 경배하러 오셨습니까? 아니면 하나님을 경배하러 오셨습니까? 비처
목사를 경배하러 온 분들은 나가 주시고, 하나님을 경배하러 오신 분들은
그대로 앉아 계십시오."라고 했다. 나가려던 사람들은 모두 자리에 앉았
다.

하나님은 이스라엘 백성을 애굽에서 불러내어 당신을 예배하는 백성을 삼으시려고 했다. 그것이 출애굽(Exodus)의 목적이다. 하나님이 지금 우리를 세상에서 불러내신 목적 역시 하나님을 예배하며 섬기는 당신의 백성 삼으시기 위함이다.

하나님은 이스라엘을 당신을 예배하고 섬기는 백성 삼으시기 위해 모세를 해방자로 세우시고 바로에게 보내셨다. 그리고 모세는 하나님의 명령을 받들어 바로 왕 앞에 섰다: "내 백성을 가게 하라"(Let my people go).

모세가 하나님의 명령을 전달했을 때, 바로는 4단계로 시험했다.

1단계 시험: "너희는 가서 이 땅에서 너희 하나님께 제사를 드리라"(출 8:25)

하나님의 뜻은 이스라엘 백성이 광야에서 하나님께 예배드리는 것이었다. 그런데 바로는 이 땅에서 예배드리라고 제안했다. 이 말의 뜻은 예배는 아무 곳에서라도 드리면 되지 않느냐는 것이었다.

'꼭 교회에 가서 예배 드려야 하는가?'

'하나님은 어디든지 계시니 집에서도 예배드릴 수 있지 않은가?'

'꼭 제도적인 교회 안으로 들어가야 하고 교회에서 예배드려야 하는가?'

'교회는 많은데 아무 교회에서 하나님께 예배만 드리면 되지 않느냐? 꼭 내 교회에 가서 예배드려야 하는가?'

백만장자 록펠러 어머니는 아들 록펠러에게 주일 예배는 꼭 본 교회에 가서 예배드리라고 유언했고, 록펠러는 어머니의 유언을 잘 지켜 복을 받왔다.

미국의 고아 출신으로 거부가 된 깁손(Kibson)에게, 어느 날 고아 출신 친구가 찾아와 어떻게 부자가 되었는지 그 비결을 물었다. 그때 그는 "앞으로 10년 동안 자기가 시키는 대로 하면 부자가 될 것이라."고 말했다. 그리고 약속을 받아냈다:

1. 하나님을 잘 믿고 주일을 성수하라.
2. 술을 마시지 말라.
3. 소득의 십일조는 하나님께 바쳐라.
4. 무슨 일이든지 쉬지 말고 부지런히 하라.

이런 내용이었다. 깁손과 작별한 친구는 돌아가서 그대로 실행하여 부자가 되었다.

지미 카터는 대통령직을 수행하면서도 본 교회에 꼬박꼬박 나가 주일학교 교사를 하고 예배 드렸다.

앞의 질문들은 정말 돈독한 신자들의 입에서 나오는 질문들이 아니다. 말씀의 기초가 약하고 믿음이 온전치 못한 자들이 던지는 질문들이다.

2단계 시험: "너희가 너희의 하나님 여호와께 광야에서 제사를 드릴 것이나 너무 멀리 가지는 말라"(출 8:28)

하나님께서 원하시는 장소인 광야에 가서 예배는 드리되, 너무 멀리는 가지 말라는 것은 '적당히 예배드리라'는 것이다. 극성부리지 말라는 것이다.

"한 주에 한 번 교회에 가서 예배드리면 됐지, 무슨 예배가 그렇게도 많아? 주일 오전, 오후예배, 수요예배, 금요기도회, 구역예배, 새벽기도회, 특별새벽기도회, 그리고 이런 절기 저런 절기, 그에 따른 헌금 부담 등, 그러니까 자연히 형식적인 예배가 되지?!"

"십일조는 율법인데 왜 강조해?"

"무슨 헌금 종류가 그렇게도 많아?" 등

스티븐 케르낙은 "정성이 없는 예배는 예배가 아니며, 그것은 하나의 연극무대이다. 참으로 우리의 예배가 완전하지 않더라도 신실한 예배를 드려야 한다."라고 말했다.

물론 예배의 횟수가 중요한 것이 아니라 예배의 질 혹은 내용이 더 중요하다. 즉 하나님이 받으실 만한 예배(acceptable worship)가 핵심이다. 그러나 성경은 말씀한다: "모이기를 폐하는 어떤 사람들의 습관과 같이 하지 말고 오직 권하여 그날이 가까움을 볼수록 더욱 그리하자"(히 10:25).

믿음은 들음에서 나고 들음은 하나님의 말씀으로 말미암기 때문에(롬 10:17), 자주 모여 하나님의 말씀을 들으면 들을수록 믿음이 자란다.

무엇보다 예배에는 정성이 있어야 한다.

오래 전 강원도 홍천에 살던 한 시골 처녀가 전도를 받아 예수님을 영접했다. 그녀는 가정의 핍박을 받으면서도 예수님의 구속의 은혜를 늘 감사하며 열심히 새벽기도회에 나갔다. 그 교회는 새벽 기도회를 알리는 종이 없었다. 둥그런 쇠붙이를 두들겨 종소리를 대신했다. 그 처녀는 길고 아름다운 머리를 잘라서 종을 위한 헌금으로 바쳤다. 그러니 "이년아, 예수 놈하고 붙어살아라." 하고 아버지로부터 야단맞고 집에서 쫓겨났다.

그 후, 그녀는 친구 집에서 살았다. 교회에 열심히 나가 기도하고 봉사했다. 감동 받은 목사님은 이 처녀가 하나님의 복을 받도록 열심히 기도했다. 서울에서 목회하는 친구 목사로부터 좋은 신부감을 소개해 달라는 부탁을 받고, 이 처녀를 소개했는데, 사업을 하는 믿음 좋은 장로님의 아내가 되어 큰 축복을 받아 주님을 더 잘 섬기게 되었다. 하나님은 정성 있는 예배를 기뻐 받으신다.

예배는 하나님을 섬기는 거룩한 노동이다. 히브리어 '아바드'(עבד)는 노동과 예배 모두를 의미하지 않는가? 그러므로 수고가 따르면 따를수록 그것은 하나님을 기쁘시게 섬기는 거룩한 예배다.

3단계 시험: "그렇게 하지 말고(어린아이들은 가지 말고), 너희 장정만 가서 여호와를 섬기라"(출 10:11)

하나님을 예배하고 섬기는 데 중요한 장애물 가운데 하나는 자녀. 자녀들 뒤치다꺼리 하느라고 주일 예배 거르고, 상급학교 진학 준비하느라 주일예배 거르는 일이 비일비재하다. 심지어는 교회 중직들 가운데도 고등학교 3학년 때는 교회 못 나가게 하고 '대학 들어간 후 교회 나가라'고 말하는 자들도 허다하다. 그러나 십중팔구 대학에 들어가면 교회를 졸업한다.

예배를 희생하고 얻은 것이 있다 해도 그건 진정한 복이 아니다. 예배가 회복되면 범사가 회복되고, 예배가 무너지면 모든 것이 무너진다. 특히 주일(안식일)은 더 그렇다.

몰트만은 "안식일은 참되신 하나님을 알지 못하고 무시하는 모든 이방 종교에 대한 책망과 견책이다."라고 했고, 하비 젤리는 "불신앙은 안식일의 요구를 무시하고, 탐욕은 안식일이 매주 돌아오는 것을 싫어한다."라고 했다. 윌리엄 블랙스톤은 "도덕의 부패는 안식일의 세속화에 뒤따른다."고 했고, 드와이트 무디는 "안식일(주일)을 포기한 국가를 내게 보이라. 나는 쇠퇴의 씨앗을 가진 국가를 보이리라."고 했다. 프랑스는 안식일을 잊고 예배하는 대신 다른 것을 숭배했을 때 나폴레옹의 칼날 앞에 무릎을 꿇었다. 영국이 안식일을 잊었을 때 히틀러의 군사들에 의해 고통을 받았다.

미국의 연방 수사국장은 미국 어린이들의 구원을 위해 교회에서 주일을 지킬 것을 다음과 같이 요구했다: "법을 시행하는 FBI 국장인 나 에드거 후버는 어린이들이 자기들의 근원적인 대상인 하나님을 예배드리는 것을 잊는다면, 우리나라의 근본적인 죄가 줄어들 희망이 없다고 생각한다."

미국 필라델피아 '지라드' 무역회사에서 있었던 일이다.

어느 토요일 오후 짐이 들어와 지라드는 다음날 주일 모든 직원의 출근을 명령했다. 그런데 한 사람 청년이 와서 자신은 출근할 수 없다고 했다. 까닭인즉, 자신은 기독교 신자로서 주일은 하나님께서 거룩하고 복된 날로 정한 날이요 거룩하게 예배하고 지키라고 말씀하셨기 때문이라는 것이었다. 청년은 즉시 해고 되었다. 그런 후 얼마 있다가 지라드의 절친한 친구가 은행에서 금전출납을 맡을 사람 하나를 소개해 달라고 하자 지라드는 자신이 해고한 청년을 추천했다.

친구: "이 사람아, 자네가 해고한 사람을 왜 내게 소개하나?"

지라드: "나는 그를 해고한 것을 지금은 후회하고 있네. 자기 생계가 달린 직장을 잃으면서까지 주일을 지키는 사람이라면 분명히 신뢰할 수 있는

사람일 걸세."

해고된 청년의 앞날은 화창했다.

6.25전쟁 후 1952년에 미국의 아이젠하워 대통령이 방한(訪韓)을 하게 되었다. 이때 우리나라에서는 국빈을 영접하기 위해 여러 가지 환영행사를 준비하고 있었다. 아이젠하워가 콜롬비아 대학을 졸업한 것을 알고는 콜롬비아 대학 졸업자를 찾아서 꽃다발을 전달하기로 하고 찾아보니, 정신여고 교장 김필례 여사였다. 그래서 비행장에 나가 꽃다발 전달하는 것을 부탁했더니, 김필례 교장은 그날이 주일이라 단연코 거절했다. 다른 사람 같았으면 웃돈 얹어주고 '내가 하겠다' 하고 사진 한 장 찍어놓고 일평생 자랑하겠지만, "나는 교회 다니는 사람입니다. 주일예배에 빠지고 다른 곳에 갈 수 없습니다." 하고 단연코 거절했다.

이승만 대통령의 귀에까지 이 소문이 들렸다. 결국 김 여사는 이 사건 때문에 장관직에 올랐다. 김필례 여사는 "월요일부터 금요일까지는 나라를 위해 살고, 토요일은 나를 위해 살고, 주일은 하나님을 위해 산다."고 고백했다.

> 4단계 시험: "너희는 가서 여호와를 섬기되 너희의 양과 소는 머물러 두고 너희 어린 것들은 너희와 함께 갈지니라"(출 10:24)

리챠드 포스터가 《돈 섹스 권력》에서 말한 바와 같이, 돈(물질)은 현대인에게 신이다. 예수님은 하나님과 맘몬 두 주인을 동시에 섬길 수 없다고 말씀하셨다(눅 16:13). 진정으로 하나님을 주인으로 삼고 청지기로 사는 신자는 돈의 관리자로 살지만, 그렇지 않은 신자는 하나님의 이름을 부르지만 돈을 주인으로 삼고 돈의 종으로 살아간다. 전도서 기자가 말한 해 아래의 폐단이 바로 이것이다(전 10:7).

돈은 인간에게 최대의 유혹이다. 하나님을 섬기는 데 최대의 걸림돌은 돈이다. 그러기에 물질의 시험을 통과하면 성숙한 신앙이 된다. 요한 웨슬레가 말한 바와 같이, "호주머니가 회개하지 않으면 온전한 회개가 아니다."

"마음이 중요하다"는 말은 맞는 말이다. 그런데 울리지 않는 종은 종이 아니며, 표현이 없는 사랑은 사랑이 아니듯이, 물질적인 헌신이 없는 신앙은 신앙이 아니다:

> "네 보물(물질) 있는 그곳에는 네 마음도 있느니라"(마 6:21)

하나님께 마음이 없는데 어찌 헌금을 드리는가? 하나님의 주권을 인정치 못하고, 하나님의 은혜 가운데 산다는 확실한 믿음의 고백 없이 어찌 십일조를 드리겠는가?

십일조 신앙은 살아있는 참된 신앙이다. 성숙한 믿음이다. 하나님께로 돌아가는 것이다(말 3:7-8, 십일조 하지 않는 것은 아직도 하나님께로 돌아가지 않고 방황하는 삶이다). 십일조는 영적 전쟁이다. 물질을 통해 인간의 마음과 삶을 지배하는 사탄에 대한 선전포고이자 승리이다.

십일조를 드리면 놀란다:

1. 내게도 이런 용기가 있었구나 하고 놀란다.
2. 액수가 점점 많아져서 놀란다.

3. 드리고 나면 기쁨이 오는 데서 놀란다.

4. 십일조를 드릴 때는 아까웠는데, 드리고 나면 기도가 잘 나와 놀란다.

5. 남들은 열 개를 기지고서도 모자란다고 하는데, 아홉 개를 가지고 살아가는 것을 보고 놀란다.

6. 십일조를 하고나면 더 하고 싶어 놀란다.

하나님의 것을 도둑질 할 때, 우리는 우리 자신에게서 더 많은 것을 도둑질 하고 있다는 사실을 깨달을 필요가 있다.

웨스트민스터 교회 캔들(R. T. Candle) 목사는, "목사가 십일조에 대한 분명한 가르침을 설교하지 않는 것은 교인들로 하여금 결국 가난하게 만드는 것이다."라고 말했다.

코카콜라 창설자 캔들러(Asa G. Candler)는 알코올 중독자였다. "자신의 본능적 욕구를 거절하는 자가 성공한다."는 음성을 들었는데, 바로 그 시간 아내가 남편의 금주를 위해 기도하는 중이었다. 아내에게 자신이 들은 음성을 말한 후, 두 손 잡고 눈물의 기도를 드렸다. 이후 수입금 10%를 드리는 생활로 세계적인 기업이 되었다.

예배를 마치고 집으로 돌아가는 차 안에서 아빠가 운전을 하면서 불평을 늘어놓기 시작했다: "와- 오늘 목사님 설교 완전히 죽 쑤더구먼... 아니 일주일 동안 도대체 뭘 했길래... 그것도 설교라고 하남- 그 정도 설교면 나도 하겠다." 말이 떨어지기가 무섭게 옆에 타고 가던 엄마가 한 마디 거든

다: "설교도 엉망이지만... 성가댄 왜 그리 죽을 쒀! 지휘자 따로 반주자 따로... 성가대원은 아침을 안 먹고 왔나? 다 죽어가는 소리에다가 악보에 코를 쳐박고 어쩌고저쩌고..." 부부가 한참 불평을 늘어놓고 있을 때, 중학생 아들 녀석이 한 마디 거든다: "아빠, 엄마... 그럼 천원 내고 본 예배가 그렇지... 어제 토요일에 비싼 돈 주고 본 영화는 잼 났었잖아..."

* 진정한 예배자인가?

구 운명의 갈림길
(눅 16:19-31)

한 부자가 있어 자색 옷과 고운 베옷을 입고 날마다 호화롭게 즐기더라. 그런데 나사로라 이름하는 한 거지가 헌데 투성이로 그의 대문 앞에 버려진 채 그 부자의 상에서 떨어지는 것으로 배불리려 하매 심지어 개들이 와서 그 헌데를 핥더라. 이에 그 거지가 죽어 천사들에게 받들려 아브라함의 품에 들어가고 부자도 죽어 장사되매, 그가 음부에서 고통 중에 눈을 들어 멀리 아브라함과 그의 품에 있는 나사로를 보고 불러 이르되, 아버지 아브라함이여 나를 긍휼히 여기사 나사로를 보내어 그 손가락 끝에 물을 찍어 내 혀를 서늘하게 하소서, 내가 이 불꽃 가운데서 괴로워하나이다. 아브라함이 이르되, 애 너는 살았을 때에 좋은 것을 받았고 나사로는 고난을 받았으니 이것을 기억하라. 이제 그는 여기서 위로를 받고 너는 괴로움을 받느니라. 그뿐 아니라 너희와 우리 사이에는 큰 구렁텅이가 놓여 있어 여기서 너희에게 건너가고자 하되 갈 수 없고, 거기서 우리에게 건너올 수도 없게 하였느니라. 이르되 그러면 아버지여, 구하노니 나사로를 내 아버지의 집에 보내소서. 내 형제 다섯이 있으니 그들에게 증언하게 하여 그들로 이 고통 받는 곳에 오지 않게 하소서. 아브라함이 이르되 그들에게 모세와 선지자들이 있으니 그들에게 들을 지니라. … 이르되 모세와 선지자들에게 듣지 아니하면 비록 죽은 자 가

운데서 살아나는 자가 있을지라도 권함을 받지 아니하리라 하였다 하시
니라(눅 16:19-31)

본문의 내용을 보면, 커튼(휘장)이 옆으로 걷어진 무대의 배경은 하늘과
지옥이다. 그리고 그 무대에는 하늘과 지옥의 배역들이 서 있다. 그들은 부
자 '다이브스'와 거지 '나사로'다.

바리새인의 교의에 의하면, 거지는 악하기 때문에 가난하고 하나님의 미
움을 받는 자이며, 이런 사람은 하나님이 그 앞에서 죽음으로 던져버리신다
고 되어 있다. 그러나 부자는 죽은 후 곧 바로 하나님 앞으로 인도되어 영
생의 기쁨을 얻는다는 것이다.

그러나 이 바리새인의 교리와는 정반대로, 부자는 하나님 앞에서 쫓겨나
음부에 던져진 반면, 거지는 "아브라함의 품", 곧 하나님 앞에 인도되었다
고 예수는 가르치셨다. 그러면 왜 이런 역전이 일어난 것일까?

바리새인의 신학에서 영향을 받은 부자는 자기가 모은 재산으로 인해 하
나님 앞에서 의롭다고 생각했다. 가난한 사람은 의롭지 못하기 때문에 빈
자(貧者)가 된 것이다. 그러나 부자 다이브스는 "이웃 사랑하기를 내 몸
같이 하는 것"이 의의 증거인 것을 몰랐기 때문에, 그가 소유한 부와는 상관
없이 그는 하나님 앞에서 의롭지 못한 자 곧 불의한 자로 드러난 것이다.

1. 부자 다이브스의 가치관

부자 다이브스에 대한 기록은 단순히 "한 부자가 있었다"는 것이다. 그것
이 그의 존재에 대한 전체적인 설명이다. 그가 하나님과 주변 사람들과 어
떤 관계에 있었다는 언급 없이, "단순히 한 부자가 있었다"는 말 밖에 없다

는 것은 그가 비인간화(dehumanization) 되었다는 말 외에 또 어떤 해설이 가능할까?

인간은 관계의 존재(The related self)다. 관계를 떠난 인간은 더 이상 인간이 아니다. 수직적으로 하나님, 그리고 수평적으로 이웃과 관계를 맺음으로써 비로소 인간은 인간다워진다. 하나님을 경외하고 사랑하며, 이웃을 내 몸처럼 사랑하는 것은 예수가 주신 새 계명이기도 하지만, 그것이야말로 진정한 존재-인간화의 길이다. 특히 성경은 가난하고 병들고 소외된 이웃을 돌아보라고 말씀하고 있으며, 그들에게 한 것은 곧 주님께 한 것이라고 말씀한다(마 25:34-46). 우리는 이웃과의 관계를 통해 하나님께 나아감을 아무리 강조해도 지나치지 않다. 그와 관련하여 본 회퍼는 "예수 그리스도를 통하지 않고 형제자매에게 나아가는 것은 사기(詐欺)라"고 말한다.

다이브스는 참되신 하나님을 경외하고 사랑하지도 않았을 뿐더러, 주변에 있는 가난한 자를 긍휼히 여기며 돌아보지 않았다. 그는 삶의 의미와 가치를 오로지 자신의 부요와 거기에 근거한 행복에만 두었다. 그는 주변의 나사로를 소외시킴으로써 그 자신을 나사로로부터 소외시켰다.

2. 두 가지를 피한 부자 다이브스

다이브스는 두 가지를 피했다.

첫째는, 자비가 필요한 거지 나사로를 외면했다. 나사로의 비참한 모습과 삶을 들여다보는 것은 그에게 혐오감을 갖게 했을 것이다. 구걸하러 대문 앞에서 와서 서성이는 나사로의 모습을 이따금 보는 것만도 구역질나는 것이었을 것이다. 그나마 "대문 앞에" 둔 것은 다행이었다고 할까? 은총이었다고 할까? 문 앞에서 서성거리지 못하도록 종들을 시켜 집 뒤로 쫓아내든지 아니면 아예 눈앞에서 사라지도록 멀리 내쫓지 않은 것만도 천만 다행이었을까? 어쨌든 부자 다이브스는 거지 나사로를 "문 앞에 버려두었다." 하나님의 끊임없는 긍휼의 대상 자체인 부자 다이브스에게 긍휼 혹은 자비는 눈곱만큼도 없었다.

성경은 말씀한다: "긍휼을 베풀지 않는 자에게는 긍휼 없는 심판이 임한다. 긍휼은 심판을 이기고 자랑한다"(약 2:13).

긍휼을 베풀지 않은 부자 다이브스는 점점 긍휼 없는 하나님의 심판대를 향해 고속으로 질주하고 있었다. 그 사실을 까마득히 모른 채.

부자 다이브스에게 죽음이라는 첫째 심판이 임했다. 첫째라는 것은 둘째 심판을 예견한다: "한 번 죽는 것은 사람에게 정한 이치요 그 후에는 심판이 있으리라"(히 9:27).

다이브스의 장례식은 거창했을 것이다. 관은 아름답고 향기 나는 꽃으로 장식되고, 조화가 온 집안에 가득하고, 조객들을 맞이하느라 음식 냄새가 코를 찌르고... 끝없이 엄숙하고 장엄한 장례식을 치렀을 것이다.

그러나 다이브스가 지닌 부는 그를 하나님 앞으로 인도하지 못하였다. 반대로 그는 깜깜한 지옥의 나락으로 굴러 떨어졌다. 이것이 그에게는 둘째 심판이었다. 하관식 때 "영혼에 평안이 있을지어다"라는 성직자의 기원과 함께 유족과 친지, 친구들이 퍼붓는 헌토(獻土)들은 사실상 그의 영혼에 떨어지는 지옥의 불덩이였다. 이제 그 캄캄한 불덩이 속(바깥 어두운 데 쫓겨나 이를 갈게 되리라는 말씀에 의하면 지옥의 불은 캄캄한 데서 타오르는 맹렬한 불이다)에서 자비가 필요했던 나사로에게 자비를 거절한 부자가, 이제는 자신이 구원받기 위하여 나사로에게 자비를 보여주는 사람이 되어 달라고 간청하는 것은 얼마나 아이러니컬한가?

둘째로, 다이브스는 하나님을 피했다. 부자는 온 세상을 얻었으나 영혼의 주인이신 하나님을 피했다. 온 세상을 얻어도 자신의 영혼을 잃어버리면 아무 유익이 없다는 것을 미처 깨닫지 못했다(마 16:26). 영혼의 주인이신 하나님을 얻는 것이 모든 것을 얻는 것임을 깨닫지 못했다. 예수 그리스도를 가진 자가 모든 것을 가진 자(Qui a Jesus a tout)라는 진리를 체득하지 못했다.

사람이 하나님께 나아가는 길은 사람을 통해서다. 눈에 보이는 부모를 공경하지 않는 사람이 눈에 보이지 않는 하나님을 공경할 수 없으며(마 15:4-6), 형제자매로부터 원망 받을 일이 있으면 먼저 가서 화목한 다음 예물을 하나님께 바쳐야 한다(마 5:23-24). 그래야 예물다워진다. 그렇지 않는 것은 하나님을 우롱하는 처사다.

나사로와 하나님을 피한 다이브스는 죽어 지옥불의 심판에 직면한다. 지옥의 불은 물리적인 불 이상의 것이다. 하나님의 거룩과 공의의 진노가 쏟아놓는 불이기 때문에 '육체적 고통뿐만 아니라 정신적 고통이 수반'될 것이기 때문이다. "아버지 아브라함이여, 나를 긍휼히 여기사 나사로를 보내어 그 손가락 끝에 물을 찍어 내 혀를 서늘하게 하소서"라는 기도는 지옥의 벽만을 울리고 메아리로 되돌아오는 공허한 기도일 따름이다. 지옥에 떨어진 사람은 하나님 없는 사람이기 때문에 모든 것이 혼동이다. 기도는 하나님께 드리는 것임에도 그는 아브라함에게 기도하고 있다. 모든 것이 뒤범벅이요 혼동이다.

도스토엡스키는 《카라마죠프가의 형제들》이란 책에서 이렇게 말했다:

"만일 지옥에서 물질이 타는 불이 있다면 사람들이 참 좋아할 거야. 왜냐하면 불로 인해 뜨거움을 느끼는 육체의 고통 때문에, 지옥에서 정말 뜨겁게 느껴야 할 마음의 고뇌는 잊어버릴 수 있기 때문에…"

부자는 이 세상에서 사람들에게 알려졌으나 하나님을 무시한 고로, 아니 하나님의 자비와 도움이 필요한 사람을 무시한 고로, 그날 이후 하나님께 전혀 알려지지 않은 존재가 된 것이었다.

로뎅의 작품 〈생각하는 사람〉은 단테의 《신곡》〈지옥편〉에 나오는 사람인즉, 지옥문 앞에서 쪼그리고 앉아 깊은 생각에 골몰하고 있는 사람의 모습이다. 그러나 엄격히 말해서, 지옥에서 생각할 수 있는 기회와 여건이 주어지겠는가? 단테의 《신곡》〈지옥편〉에서, "이것은 슬픔의 도시요 영원한 고통으로 버림받는 족속에게로 들어가는 문이로다. 이 문을 통과하는 사람들이여, 희망을 다 버릴지어다."라고 했다.

천국과 지옥 사이에는 큰 구렁이 있다. 두 세계 사이에는 교통이 불가능하다. 지옥은 어떤 곳인가? 천국을 보면서 가까이 가지 못하는 곳이다. 하나님께서 왜 지옥의 창문을 천국을 향해 열어놓았겠는가? 비교에서 오는 고통을 시사한다. 지옥은 하나님의 영광을 보면서도 접근할 수 없는 곳이다.

3. 아브라함의 품에 안긴 나사로

나사로는 '하나님은 나를 돕는 자이시다'(God is my helper)라는 뜻이다. 하나님 밖에는 아무도 그에게 관심을 두지 않았다. 그는 자기 발 앞에 떨어진 부스러기로 애처로운 목숨을 간신히 연명했다. 이것이 그에 대한 전부다. 부자 다이브스의 장례식에 비교하면 그의 죽음을 애도해 줄 가족도, 친척도, 친구도 없었기 때문에 초라하고 쓸쓸하게 땅에 묻혀버렸을 것이다.

부자 다이브스와 마찬가지로 그는 죽어 흙으로 돌아갔으나 아브라함의 품, 곧 하나님의 품으로 인도되었다.

성경은 "가난한 자가 복이 있다"(눅 6:20)고 가르친다. 노동시장에서 하루의 노동력을 팔지 않으면 생계를 유지할 수 없는 가난한 '푸투코스'들은 복 있는 자들이다. 그들은 오로지 하늘에 계신 하나님 아버지의 자비의 손길을 의지하고 살기 때문에, 하나님 외에는 의지할 데가 없기 때문에 복 있는 자들이다. 그러나 부자는 자신이 가진 부를 하나님(주인)으로 삼는다. 그래서 부자가 하늘나라에 들어가는 것은 낙타가 바늘귀로 들어가는 것보다 어렵다고 했다(눅 18:24-25).

우리는 곧 부자 다이브스의 다섯 형제 중 하나다. 이것이 이 말씀이 담고 있는 메시지다. 우리는 우리 자신을 발견하고 시간과 영원을 위하여 어디에 그리고 누구에게 속하여야 할까를 결단하는 십자로에 서 있고, 예수 그리스도는 십자가 위에 신호등처럼 매달려 있다.

* 주변에 있는 나사로에게 눈을 돌리는가?

8 기다리는 의인

(눅 1:5-23)

유대 왕 헤롯 때에 아비야 반열에 제사장 한 사람이 있었으니 이름은 사
가랴요 그의 아내는 아론의 자손이니 이름은 엘리사벳이라. 이 두 사람
이 하나님 앞에 의인이니 주의 모든 계명과 율례대로 흠이 없이 행하더
라. 엘리사벳이 잉태를 못하므로 그들에게 자식이 없고 두 사람의 나이
가 많더라. 마침 사가랴가 그 반열의 차례대로 하나님 앞에서 제사장의
직무를 행할새 제사장의 전례를 따라 제비를 뽑아 주의 성전에 들어가
분향하고 모든 백성은 그 분향하는 시간에 밖에서 기도하더니, 주의 사
자가 그에게 나타나 향단 우편에 선지라. 사가랴가 보고 놀라며 무서워
하니, 천사가 그에게 이르되 사가랴여 무서워하지 말라 너의 간구함이
들린지라 … 그 직무의 날이 다 되매 집으로 돌아가니라(눅 1:5-23)

인생은 '기다림'으로 채색되어 있다. 사람들은 기다림 속에서 인생을 살아
간다. 꿈의 성취를 기다리며 사는 사람들, 입신양명 출세를 기다리며 사는
사람들, 복권 당첨을 목말라 기다리며 사는 사람들, 이상적인 배우자를 기
다리는 사람들, 사업의 성공을 기다리는 사람들, 문제 해결의 때를 기다리

며 사는 사람들 등등, 인생은 온통 기다림으로 채색되어 있다.

그런데 기다림은 희망이다. 특히 기독교 신앙은 희망과 깊이 관계되어 있다. 믿음과 희망은 두 날개다.

몰트만은, "희망은 신앙을 그리스도의 포괄적인 미래로 열어준다. 그리스도인의 삶에서 신앙은 우선이고 희망은 우위이다."라고 했고, 루터는 "신앙은 하나님의 말씀으로 향하고, 희망은 하나님의 말씀의 일, 즉 약속된 은혜로 향한다."라고 했다.

본문의 사가랴와 엘리사벳은 희망의 사람들로서 일평생을 기다림으로 보낸 사람들이다. 그들은 믿음과 희망의 표상으로 우리 앞에 서 있다. 그들은 기다림으로 자신들의 기도와 만난 사람들로서 기다림의 삶을 사는 우리에게 신앙과 희망의 증인으로 우뚝 서 있다.

1. 이스라엘의 구원을 기다리며 산 사람들

이스라엘의 구원을 기다리는 의인들, 하나님의 약속하신 메시야를 기다리는 사가랴와 엘리사벳은 기다림의 믿음과 희망 때문에 "하나님 앞에 흠이 없고, 책망 받을 것이 없는 경건한 삶"(골 1:22)을 살던 사람들이었다. 참으로 믿고 기다리면 불경건하고 나태한 삶을 살지 않는다.

전통적인 제도와 편견, 율법의 그릇된 적용, 종교의 해이, 정치 윤리의 붕괴, 부도덕한 시대 속에 편승해 살면서 그들이 경건을 지켜나가는 것은 식은 팥죽을 먹듯이 결코 쉬운 일은 아니었다.

당시의 유대인들은 거의 하나님을 향해 등을 돌렸다. 특히 헤롯은 반(半) 아람인이자 반(半) 유대인인 이두매인으로서 팔레스틴 각 지방에 우상 신전을 세웠을 뿐만 아니라, 열 명의 아내를 두고, 두 아들을 교살하고, 한 아들을 처형하는 등 유대 사회에 도덕적 악을 조장하던 자였다.

사람은 환경의 영향을 쉽게 받는다. 영향을 받을 만큼 약한 존재다. 세속에 물들지 않고 자기의 경건을 지켜나간다는 것은 목숨을 지키는 일보다 어려운 일이다. 그러나 사가랴와 엘리사벳은 살아계신 하나님과 하나님의 약속을 믿고 살았기에 시대의 더러움을 피하여 경건한 삶을 살 수 있었다.

스가랴는 '여호와께서 기억하시다'(God remembers), 엘리사벳은 '서약혹은 언약의 하나님'(God of oath or covenant)이란 뜻이다. 하나님은 무릇 자기를 찾고 기다리는 자를 잊지 않고 기억하시는 하나님이시다. 또 약속하신 말씀을 신실하게 지키시는 하나님이시다(민 23:19, 삼상 15:29, 대하 19:7, 사 14:24).

그러므로 스가랴와 엘리사벳처럼 하나님 앞에 무릎 꿇고 두 손을 모을 수 있는 자는 복된 자다. 인생을 현명하게 사는 자다. 왜냐하면 그들의 경건이 하나님께 상달되었기 때문이다. 그들의 기도가 응답되었기 때문이다.

러시아에서 한창 기독교를 박해할 당시, 기독교 가정의 자녀들을 강제로 빼앗아 무신론을 가르치는 기숙사에 넣고 인형을 주었다. 하나님에 관해 가르침을 받고 자라는 아이들은 그들을 지키는 사람이 없으면 인형을 가지고 기도 놀이를 했다. 그러나 인형의 무릎을 꿇릴 수 없었다. 한 아이가 선생에게 말했다:

> 아이: "선생님, 제게 다른 인형을 주실 수 없나요? 이 인형은 바보 같아요."
> 선생: "왜 그런 말을 하지?"

아이: "누구든 하나님 앞에 무릎을 꿇을 수 없다면, 그 사람은 바보임에 틀림없으니까요."

우리는 어떻게 살아야 하는가?

이 어그러지고 부도덕한 시대를 사는 우리는 겸손히 하나님 앞에 무릎 꿇고 기도하며 경건하게 살아야 하지 않겠는가? 만일 우리가 하나님 앞을 떠나지 않고, 하나님 앞에 경건하며(코람 데오), 하나님의 약속을 믿고 기다리면 인생의 극적인 무대에서, 하나님께서 준비하신 무대에서 하나님을 만나며 나의 기도와 만나는 축복이 있다!

2. 아들을 기다리며 평생을 기도한 사람들

이스라엘 사람들에게 있어서 무자식(無子息)은 '하나님의 손에 의한 무거운 벌'로 간주되었다. 그래서 "아이를 달라, 그렇지 않으면 죽음을 택하겠다"는 라헬의 절규가 있었던 것이다. 무자(無子)는 혈육에서 끊어지는 것, 이스라엘에게서 끊어지는 것을 의미했던 것이다.

역사가 요세푸스에 의하면, 당시 팔레스틴에는 약 20,000명의 제사장들이 있었다. 이들은 24반열로 나눠져 있었고, 각 반열이 한 번에 하루씩 2번을 섬기기 위해 예루살렘으로 올라갔다(다윗에 의해 24반열로 나눠짐).

아비야 반열은 8째 반열에 속하며 1,000명의 제사장들이 그 반열에 소속되어 있었다. 그러므로 아비야 반열에서 제비에 뽑혀 성전에 올라가 지성소에서 향을 드리는 가장 존귀할 사역을 할 확률은 1,000분의 1이요, 이는 평생에 한 번 있을까 말까한 경험이다. 이는 말로 다 표현할 수 없는 큰 은총이다!

마침 아비야는 성전에 들어가 섬길 기회를 얻었다.

"마침"이란 말은 '기회의 섭리'를 말한다. 그가 뽑힌 것은 평생 기도로 기다리던 하나님을 만나는 무대로 들어감을 알리는 전주곡이다. 하나님의 위대한 전령 가브리엘은 지성소에서 제사장의 직무를 감당하는 사가랴에게 현현하여, "너의 기도가 하나님께 들렸다"라고 말한다. 응답되지 않은 기도는 죽은 기도가 아니며, 무시된 기도도 아니다. 기도는 하늘의 파일에 기록, 보관된다!

우리는 발효문화를 갖고 있다. 김치, 된장, 식혜 등은 오래 삭혀 맛을 낸다. 밥이 다 되었다고 얼른 솥뚜껑을 열어서는 안 된다. 밥이 제 맛을 내기 위해 푹 뜸을 들여야 한다. 이와 마찬가지로, 기도 응답이 늦으면, 하나님께서 기도 응답의 맛을 더 내시는 것이다.

하나님께서 사가랴와 엘리사벳에게 기도의 응답으로 아들을 주실 때, 그냥 보통 아들이 아니라 '주 앞에 큰 자', '주의 길을 예비하는 자'로, 하나님의 구원사에 획기적인 인물로 주셨다. 하나님은 "우리가 구하는 것 이상으로 주신다"(엡 3:20)

응답되지 않은 기도는 무시된 기도가 아니다. 오래된 기도는 기대치 않은 복을 가져다준다.

응답되지 않은 기도는 죽은 기도가 아니다. 기도는 결코 죽지 않는다. 기도하는 사람은 죽어도, 기도한 사람의 기도는 결코 죽지 않는다!!

영성가 토마스 브라운은 기도의 사람이다. 그는 고백한다:

"나는 더 많이 기도하고, 항상 기도하고, 조용한 곳에서나, 그곳이 집이 되었든, 대로(大路)가 되었든, 신작로(新作路)가 되었든 간에 기도하길 결심했다. 따라서 이 도시의 모든 길과 신작로가 내가 하나님을 결코 잊지 않았다고 입증하게끔 조용한 곳이면 어디서나 기도하기로 작정하였다.

또한 나는 지나가는 길에 교회가 보이면 그곳에서 하나님께 진정으로 경배하고 그 안의 영혼들이 구원받게 되기를 위해 기도하기로 작정했으며, 매일 같이 나의 병든 환자들과 다른 의사들의 환자들을 위해 기도하기로 결정했다.

게다가 나는 어느 가정을 방문하든지 '하나님의 평안이 이곳에 거하소서'라고 축복을 빌기로 결심하였으며, 설교를 들은 후에는 하나님의 진리와 하나님의 종 위에 하나님의 축복이 임하기를 간구하기로 마음먹었다.

그 밖에도 나는 아름다운 여인을 보면 하나님의 창조 솜씨에 찬송을 드리고 하나님께서 그 여인의 마음을 아름답게 하셔서 안과 밖이 일치되도록 해 달라고 간구하고, 불구인 사람을 보면 온전한 영혼을 주셔서 점차 부활의 아름다움을 갖게 해 달라고 하나님께 간청하기로 결심하였다."

그는 지나간 길이면 길 모두가 그의 기도를 잊지 않게 했다.

3. 다시 오실 주님을 희망 가운데 기다림

약속하신 대로 예수님은 천사장의 나팔과 호령으로 구름을 타고 오신다. 이것이 성도의 살아있는 희망이다(살전 1:3, 10). 데살로니가 교회 성도들은 이 소망에 불타서 열심히 복음을 전파했다.

땅에 희망을 둔 사람들은 썩는 일을 위해 분요하지만, 하늘에 소망을 둔 성도들은 영생하는 일을 위해 열심히 일한다. 경건한 삶과 주의 일에 대한 열심, 곧 전도와 선교에 대한 뜨거운 열심은 다시 오실 주님의 재림에 대한 소망의 표지다.

구원의 하나님은 선지자들의 약속대로 이스라엘에 메시야를 보내주셨다. 이제 우리는 그 어떤 선지자들보다 더 중대하신 분, 히브리 기자가 증언한 대로 비교할 수 없이 위대하신 만왕의 왕 예수 그리스도께서 친히 주신 약속을 갖고 있는 사람들이다. 그 약속은 "하늘로 올려지신 모습 그대로 구름 타고 오신다"는 예수님의 약속이다. 선지자들을 통해 주신 처음 약속이 폐하지 않고 이루어진 것처럼, 두 번째 약속 또한 성취될 것이다.

디도서를 통해 주신 권고의 말씀대로(딛 2:11-15), 약속을 기다리며 주님의 날을 바라보고 경건하게 살며, 주의 일에 힘써야 하지 않겠는가?!

* 희망의 그리스도를 기다리고 있는가?

9 감사로 돌아온 사마리아인

(눅 17:11-19)

예수께서 예루살렘으로 가실 때에 사마리아와 갈릴리 사이로 지나가시다가 한 마을에 들어가시니 나병환자 열 명이 예수를 만나 멀리 서서 소리를 높여 이르되, 예수 선생님이여 우리를 불쌍히 여기소서 하거늘, 보시고 이르시되 가서 제사장들에게 너희 몸을 보이라 하셨더니 그들이 가다가 깨끗함을 받은지라. 그 중의 한 사람이 자기가 나은 것을 보고 큰 소리로 하나님께 영광을 돌리며 돌아와 예수의 발 앞에 엎드리어 감사하니 그는 사마리아 사람이라. 예수께서 이르시되, 열 사람이 다 깨끗함을 받지 아니하였느냐? 그 아홉은 어디 있느냐? 이 이방인 외에는 하나님께 영광을 돌리러 돌아온 자가 없느냐 하시고, 그에게 이르시되 가라 네 믿음이 너를 구원하였느니라 하시더라(눅 17:11-19)

사람이 살아가면서 갖게 되는 자리가 여럿 있다. 그리고 어떤 자리를 갖느냐에 따라 사람됨이 결정된다. 뿐만 아니라 어떤 자리를 갖느냐에 따라 삶의 내용과 질이 결정되기도 한다. 사람에 따라서 비판과 칭찬의 자리, 원망/불평과 감사의 자리에 설 수 있다. 그런데 성경의 가르침과 경험에 의하면 원망/불평의 자리보다 감사의 자리에 서는 자가 하나님을 기쁘시게 하며 잘된다는 것이다.

오늘, 주님은 우리에게 말씀하신다. "너는 어디에 있느냐?" "네가 서 있는 자리는 어떤 자리냐?"

1. 예수님의 방문은 큰 은총의 사건

예수님 당시 나병은 하나님의 저주로 이해되었다. 사랑하는 가족과 친구, 친지, 사회로부터 격리되어 살아가는 삶은, 말이 삶이지 죽은 것과 하등 다를 바 없는 불행과 비참의 삶이었다. 신으로부터 버림받고, 모든 사람들로부터 버림받은 삶을 어떻게 삶이라 하겠는가?

열 명의 나병환자는 갈릴리와 사마리아 성 중간쯤, 그들 나름의 나병환자 촌을 만들어 살아가고 있었다. 그 누구도 가까이 하고 싶지 않고 가까이 할 수도 없는 곳! 시커먼 죽음의 그림자가 드리워진 그늘진 곳에 햇빛 들 날도 있었겠는가? 나사렛 예수는 이곳을 찾으실 뜻이 계셨다. 예수님이 이 나병환자 촌을 찾으신 것은 엄청난 은총의 사건이었다.

레위기 법에 의하면, 나병환자들은 성한 사람 가까이 다가갈 수 없었다. 그럴라치면 돌 세례를 받기 때문이었다. 사람들이 그들 가까이 오면 그들로 하여금 부정을 타게 하지 않기 위해 그들은 손바닥으로 윗입술을 가리며 "나는 부정하다, 나는 부정하다"(I am unclean, I am unclean) 하고 외쳐야 했다. 그래서 그들은 "멀리 서서" 부르짖었다: "예수 선생님이여!"

한 번도 본 적이 없는데 어떻게 예수를 알았을까? 멀리서 어떻게 예수인 것을 식별했을까? 소문을 통해 알았을까?

예수님은 하나님을 떠난 죄악 세상에 찾아오셨다. 하나님을 떠난 죄악 세상은 하나님께 버림받은 나병환자 촌이다.

> "내가 의인을 부르러 온 것이 아니요 죄인을 불러 회개시키러 왔노
> 라"(눅 5:32)

하나님의 아들 예수께서 오셔서 우리를 찾으신 것은 큰 은총의 사건이다. 말로 다 표현할 수 없는 은총이다. 감사하는 자가 되자!

2. 우리를 긍휼히 여기시는 예수

하나님은 우리를 긍휼히 여기시는 하나님이시다. 뿐만 아니라 하나님의 아들 예수 역시 우리를 긍휼히 여기시는 분이시다. 긍휼은 '함께 아파하다'라는 뜻이다. 히브리어 '레크밈'은 '하나님의 자궁'(womb of God)이란 뜻이다. 여인이 자궁(태)에서 난 자식을 긍휼히 여기듯, 하나님은 우리의 연약함을 도우시고 치료하시는 아버지다.

나병환자들의 불행과 고난을 아시는 주님은 긍휼을 베푸셨다. 현장에서의 즉각적인 치유가 아니더라도, 과정이 필요한 치유였지만, 주님은 그들을 저주의 질병의 굴레에서 해방시켜 주셨다. 또한 과정이 있었기에 더 은총의 베푸심이었다. 왜냐하면 한 나병환자처럼, 감사로 더 큰 은총에 참여했기 때문이다.

주님께서 우리들의 죄의 나병을 고쳐주신 것을 감사드리자. 육체의 나병보다 더 지독하고 추악한 것은 우리의 죄가 아닌가? 나병은 우리의 육체만을 괴롭히고 우리를 지옥으로 끌고 가지 못하지만, 죄는 육과 영혼 모두를 파멸시키는 병중의 병이 아닌가?

3. 감사의 자리를 찾는 자

기독교의 신앙은 '감사'에서 시작한다. 본회퍼는 이렇게 말했다: "기독교인 비 기독교인의 구별은 그 사람이 감사하고 즐거운 마음으로 살아가느냐, 아니면 그렇지 않느냐로 알 수 있다."

열 명의 나병환자가 다 고침을 받았지만, 감사의 자리를 찾는 자는 이방인 혼자뿐이었다. 아홉 명은 육체의 나병은 고침 받았지만, 영혼의 나병은 고침 받지 못했다. 그러나 한 이방인-사마리아인은 육체의 나병뿐만 아니라 감사로 구원받으므로(19절) 지옥의 파멸로 이끄는 영혼의 나병도 치유받았다.

챨스 브라운(Charles Brown)은 아홉 명이 감사하지 못한 이유를 몇 가지 열거해보았다.

> 첫째 사람: "진짜 나았는지 아닌지 확인하고 나서 감사하자."
>
> 둘째 사람: "재발할지 모르니까 좀 더 두고 보자."
>
> 셋째 사람: "더러운 옷을 갈아입고 목욕하고 천천히 찾아뵙고 감사하자."
>
> 넷째 사람: "이제 알고 보니 병이 아니었던 같아."
>
> 다섯째 사람: "약간 나은 정도야, 몸의 부스러기는 떨어졌지만, 속에는 아직도 병이 남아있을지도 몰라…"
>
> 여섯째 사람: 제사장에게 보인 후 깨끗한 몸으로 시내를 활보하고 돌아다니다가 감사의 기회를 놓치고 말았다.
>
> 일곱째 사람: "예수가 특별히 애쓴 것 별로 없어. 약도 발라주지 않고, 그저 '제사장에게 가서 보이라'고 한 마디 말한 것

뿐이야!"

여덟째 사람: "이런 일은 의사나 랍비라면 누구나 할 수 있는 일인데
뭐! 별로 대단치 않아, 감사할 이유가 못 돼."

아홉째 사람: "나는 이미 회복되고 있었다구! 예수님 때문에 나은 것
이 아냐! 나을 때가 되어서 저절로 나았다구!"

시편 기자는 '신속히' 신앙적 결단을 이행하기를 소원한다: "주의 계명들
을 지키기에 신속히 하고 지체하지 아니하였나이다"(시 119:60).

메튜 헨리(1662~1714)는 영국의 유명한 설교가요 성경주석가였다. 어느
날, 그는 지갑을 소매치기 당했다. 그리고 "참으로 감사해서" 그날 다음과
같은 일기를 남겼다. "오늘 처음으로 소매치기 당한 것이 감사하다. 지금
까지 이런 적이 없었다. 소매치기는 지갑을 훔쳐 갔지만 내 생명은 훔쳐 가
지 못했다. 무엇보다 신앙과 영생을 누구에게도 빼앗기지 않았다. 설령 내
게 있는 모든 것이 털렸다고 하더라도 아깝지 않은 것들이다. 또한 내가 범
죄자가 아닌 피해자가 되었기에 감사하다."

구약성서에서 감사라는 말은 동사 '야다'(감사를 드리다)와 명사 '토
데'(감사를 드림)로 표현되고 있다. 구약성서에서 쓰이고 있는 이 '야다'와
'토데'는 '마음의 샘줄기'라는 뜻을 가지고 있다. 즉 마음에서 샘줄기가 흐른
다는 말이다. 구약성서에서의 감사는 모든 시편마다 언급되고 있으며, 이
스라엘 역사를 통하여 주제가 되고 있다. 이처럼 '감사드림'은 이스라엘의
예배에 있어서 중요한 역할을 차지한다.

신약성서에서는 '유카리스테오스'(감사한 마음을 가지다. 감사를 드리다), '카리스'(감사)라는 말이 명사로 쓰이고 있는 것을 볼 수 있다. 이러한 감사라는 말은 또 영어로는 'thanks'인데 이 말은 '생각한다'란 뜻을 지닌 think에서 나온 말이다.

하나님 앞에 어떻게 감사하는 생활을 하는지를 보면 바로 그 사람의 믿음의 수준을 알 수 있는 것이다. 사도 바울은 성도들에게 감사하는 자가 되라고 역설했다. 바울이 감사 생활을 강조한 것은 감사가 믿음을 온전케 하기 때문이다. 감사는 은혜 받은 자만이 할 수 있는 것이다. 또한 감사는 또 다른 감사의 역사를 경험케 하며 이러한 계속적인 감사는 우리의 영혼을 살찌게 한다. 우리들이 가진 것 중에서 아무것도 하나님께로부터 오지 않은 것이 없기 때문이다.

성경은 우리에게 말씀한다:

"너희는 또한 감사하는 자가 되라"(골 3:15)

"범사에 감사하라. 이것이 그리스도 예수 안에서 너희를 향하신 하나님의 뜻이니라"(살전 5:18)

발레리 앤더슨은, "감사는 결코 졸업이 없는 과정이다."라고 했다.

* 감사로 되돌아가고 있는가?

10 감사에 비례하는 복

(골 3:15-17)

너희는 또한 감사하는 자가 되라 … 다 주 예수의 이름으로 하고 그를
힘입어 하나님 아버지께 감사하라(골 3:15, 17)

어떤 신자가 천국에 갔다. 천사의 안내를 받아 이 방 저 방을 돌아보고
있는데, 한 방에 들어서니 선반 위에 수많은 보따리들이 놓여있었다. "도대
체 이 많은 보따리들이 다 무엇들인가요?" 하고 물으니, "찾아가지 않은 보따
리들입니다. 하나님께서 신자들을 위해 많은 복 보따리를 준비해두셨지만,
감사하는 믿음이 없고, 감사를 실천하지 않아서 그대로 남은 것입니다." 하
더란다.

바네트 깁슨은 〈행복한 하루〉라는 글에서, "손바닥에 얼마나 많이 쥐었
느냐 하는 것은 그대의 행복과 아무런 관계가 없다. 그대의 마음속에 감사
한 마음이 없으면 그대는 파멸의 노를 젓고 있는 것이다. 제발 부탁이니 다
른 공부보다 감사할 줄 아는 것부터 배우라."고 했다.

이스라엘의 명언에는, "이 세상에서 가장 현명한 사람은 모든 사람한테서

배우는 사람이고, 이 세상에서 가장 강한 사람은 자기 자신을 이기는 사람이고, 이 세상에서 가장 부유한 사람은 자기가 처한 환경에 만족하고 감사하는 사람이다."라고 했다. 그러면 이 세상에서 가장 행복한 사람은 누구인가? 감사하는 사람, 감사하며 사는 사람이다.

조지아 주립대학 교수 토마스 J. 스탠리는 《백만장자가 되는 길》이라는 책을 썼다. 그는 이 책에서 미국에서 백만장자가 된 사람들을 만나 인터뷰를 하면서 조사한 결과를 적어놓았다. 백만장자들에게는 공통점이 있었다. 첫째는, 명문대 출신이나 최우수 졸업한 사람은 한 사람도 없더라는 것이다. 모두 지능지수나 학업 성적이 평균 중간이더라는 것이다. 둘째는, 그들 중 61%는 상속을 전혀 받지 않은 사람들이었다. 소위 자수성가한 사람들이었다. 셋째는, 그들은 한결같이 "믿음의 사람들"이었다. 떼돈 벌겠다고 기를 쓰지 않고 먼저 감사하는 마음을 갖는 데 힘을 쓴 사람들이었다. 백만장자는 재주나 학력이 주는 것이 아니고 감사하는 자에게 하늘이 내려주는 복이라는 이야기다.

1. 기억: 신앙이 역동적이 되고 성숙하는 길

기억은 과거에 대한 단순한 기억이 아니라, 과거 사건의 "지금 여기서"(here and now)의 재현이다. 이스라엘은 하나님께서 명령하신 세 절기를 지켜야만 했다. 그것은 이스라엘을 어떤 틀 속에 구속하시려는 목적이 아니라, 절기를 현재화함으로써 절기 준수 속에 역사하시는 새로운 은혜를 체험하며, 하나님과의 역동적인 관계를 지속하며 갱신하는 것이다.

그러면 이스라엘이 지켰던 절기를 생각해 보자. 유월절은 구원과 해방을 기념한다(아빕월 1월 14일, 바벨론 월력은 니산월. 양력 3-4월). 오순절(칠칠절, 맥추절)은 이집트에서의 구출과 시내산에서 율법을 수여받은 것에 감사하는 역사적 신앙고백의 의미와 더불어 밀 추수의 첫 곡식을 하나님께 드리는 목적을 가진다(유월절 후 50일째인 시완월 6일. 늦봄의 밀 추수기에 단 하루를 지켰던 절기). 장막절(초막절) 혹은 수장절은 40년 광야생활을 기념하는 절기다(티쉬리월 15-22일).

맥추감사절은 이스라엘의 3대 절기인 이스라엘의 추수 감사절이었던 오순절(칠칠절, 맥추절. 출 23:16)을 계승한 절기다(현대에 와서는 성령 강림의 의미로 기념된다).

맥추절은 한 해의 수확을 끝낸 기쁨 속에서 그 수확을 가능케 해 주신 하나님께 감사를 드리는 절기다. 맥추 감사절을 7월 초에 지키는 이유는 한 해의 전반기 동안 베풀어 주신 은혜를 감사하고 남은 후반기도 은혜 안에 살 것을 믿고 감사하는 마음으로 지키는 것이다.

이스라엘은 이 절기를 기억(회상)함으로써 하나님과의 언약과 관계를 새롭게 하여 언약 백성으로서 살아가는 것이었다.

2. 맥추절에 첫 이삭을 하나님께 감사로 드린 것은 삶의 우선순위와 중심을 하나님께 둔 것

우리는 오직 하나님의 은혜로 살아간다. 값으로 계산할 수 없는 구원을 값없이 받았다(우리가 구속된 것은 "오직 흠 없고 점 없는 어린 양 같은 그리스도의 보배로운 피로 된 것이니라", 벧전 1:19). 생명과 건강도 하나님의 은혜다. 자식도 하나님의 은혜의 선물이다. 가정도 재산도 모두 하나님의 것이다. 모든 노동과 수고의 열매도 하나님의 은혜의 선물이다(시 128:2). 우리는 하나님께로부터 받지 않은 것이 없다.

"네게 있는 것 중에 받지 아니한 것이 무엇이냐?"(고전 4:7)

우리 모두는 전적으로 하나님의 은혜에 의해 살아가는 존재다. 그러므로 하나님께 감사하는 것은 당연지사다. 감사하지 않는 것은 은혜를 망각하는 배은망덕이며, 하나님을 도외시하는 불경건함이요 악이다. 그런데 하나님의 은혜를 깨닫는 자는 진정으로 감사할 수 있다.

이스라엘이 첫 이삭을 하나님께 드린 것은 은혜의 하나님을 삶의 우선순위, 삶의 중심에 모시고 사는 것을 의미한다. 창세기 1장 29절에 의하면 홍수 이전에 하나님은 채소와 씨를 음식물로 주셨다. 홍수 이후에야 식육을 허락하셨다. 그러면 아벨이 먹지도 못할 양을 기른 것은 하나님을 예배하기 위함이었을 것이다. 반면에 가인은 자기 자신의 목숨의 연명을 위해 농사했으므로 삶의 중심이 자기에게 있었다. 아벨은 흠 없고 기름진 양의 첫 새끼를 하나님께 드렸다(창 4:4). 또 그런 삶을 사는 자에게 하나님은 넘치는 은혜와 복을 더해 주신다:

> "네 재물과 네 소산물의 처음 익은 열매로 여호와를 공경하라. 그리하면 네 창고가 가득히 차고 네 포도즙 틀에 새 포도즙이 넘치리라"(잠 3:9-10)

하나님을 사랑하여 경외하며 섬기는 자, 감사로 하나님을 높이는 자를 하나님은 사랑하시고 영육간의 복을 더하여 주신다.

3. 감사에 비례하는 행복

행복은 돈 많음에 비례하지 않는다. 지위, 권세, 명예에 비례하지 않는다. 행복은 감사함에 비례한다.

부모님의 은혜를 알고 기억하며 감사하는 자녀가 행복한 삶의 주인공이 된다. 스승의 은혜를 알고 기억하며 감사하는 제자가 행복한 삶의 주인공이 된다. 내게 도움을 준 사람의 은혜를 기억하고 감사하며 사는 자가 행복한 삶의 주인공이 된다. 이 모든 것보다, 궁극적으로 하나님의 은혜를 알고 기억하며 감사하는 성도가 행복한 삶의 주인공이 된다.

우리는 먼저 감사하는 자가 되고 또한 감사를 가르치는 자가 되어야 한다. 자녀들 앞에서 불평불만 하는 모습을 보이지 말아야 한다. 값비싼 과외비를 들여 아무리 공부를 잘 시킨들 우리의 자녀의 미래는 보장되지 못한다. 먼저 감사를 가르쳐야 한다. 그것이 자녀를 위한 길이다. 행복은 환경과 조건에 달린 것이 아니다. 행복은 감사에 비례한다.

미국의 20대 대통령 가필드(Garfield)의 소년 시절 이야기다. 어느 날 담임선생이 아이들에게, "여러분은 커서 어떤 사람이 되기를 원해요?"라고 물었다. 아이들은 저마다 대부호, 정치가, 대기업가, 장군 등 제 각각 큰 포부를 말했다. 그런데 가필드는 아무 말이 없었다.

선생님: "가필드는?"
가필드: "저는 사람다운 사람이 되고 싶어요!"
선생님: "그게 무슨 뜻이냐?"
가필드: "사람다운 사람이 되지 못하면 개나 고양이만도 못해요."
선생님: "어떻게 하면 사람다운 사람이 될 수 있느냐?"

가필드: "먼저 하나님을 잘 섬기며 늘 감사해야 한다고 생각해요."

어느 날 루터가 길을 가다가 재미있는 장면을 보게 되었다. 한 고학생이 어떤 집 앞에서 구걸하고 있는데, 갑자기 그 집에서 신장이 크고 체격 좋은 건장한 한 남자가 커다란 몽둥이를 들고 나왔다. 고학생은 그 남자가 자기를 쫓아내려고 몽둥이를 들고 나온 줄 알고 겁에 질려 도망을 쳤고, 그 남자는 물건을 들고 뒤쫓아 갔다. 그러니 고학생은 힘을 다해 더 빨리 달렸다. 행인들이 그 모습을 보고 웃어댔다. 그 남자가 들고 있는 물건은 큰 치즈 뭉치였다. 루터는 이 사건을 그의 명저 《탁상어록》에 기록하면서 하나님과 인간의 관계에 대한 예로 들고 있다.

* 하나님은 우리에게 복의 보따리를 주시려고 예비하고 있는데, 우리는 감사를 모르고 축복의 보따리에서 도망질치고 있지는 않는가?

11 재주를 부리는 사람
(삿 13:1-16:31)

삼손이 딤나에 내려가서 거기서 블레셋 사람의 딸들 중에서 한 여자를
보고 … 얼마 후 밀 거둘 때에 삼손이 염소 새끼를 가지고 그의 아내에
게로 찾아 가서(삿 14:1, 15:1)

삼손이 가사에 가서 거기서 한 기생을 보고 그에게로 들어갔더니 … 삼
손이 진심을 드러내어 그에게 이르되 내 머리 위에는 삭도를 대지 아니
하였나니 이는 내가 모태에서부터 하나님의 나실인이 되었음이라. 만
일 내 머리가 밀리면 내 힘이 내게서 떠나고 나는 약해져서 다른 사람과
같으리라 하니라 … 그들의 마음이 즐거울 때에 이르되 삼손을 불러다
가 우리를 위하여 재주를 부리게 하자 하고 옥에서 삼손을 불러내매 삼
손이 그들을 위하여 재주를 부리니라(삿 16:1-25)

인간이 태어나자마자 제일 먼저 얻는 것은 이름이다. 세상의 모든 부모들
은 애써 낳은 아이에게 한결같이 좋은 이름을 지어준다. 그러나 좋은 이름
을 갖는 것보다 그 이름대로 사는 것이 훨씬 중요하다. "이름값도 못한다"

는 말을 대부분 사람들이 긍정한다는 것은 바로 그 사실을 반증하는 것이 아닐까?

삼손은 '태양'이란 뜻의 훌륭한 이름을 가진 별세의 영웅이었지만, 그 이름대로 살지 못했고, 모태에서부터 신의(神意)에 의해 구별되어 위대한 힘을 부여받은 영웅인 그는 하나님의 기대, 부모의 기대, 민족의 기대를 이루지 못하고 쓸쓸히 진 슬픔의 사람이다.

말년에 그는 북소리에 맞추어 춤을 추며 재주를 부리는 곰처럼, 무가치한 우상과 우상숭배에 빠진 사람들 앞에서 재주를 부리다가 비극적인 최후를 맞이했다. 하나님 앞에서 춤추어 찬양하기보다.

1. 잘못된 삶의 자리

사람이 '어디 앉느냐?' 하는 삶의 자리는 예나 오늘이나 한결같이 중요하다. 왜냐하면 삶의 자리는 그 자리에 앉는 사람의 운명을 결정하기 때문이다.

삼손을 다루는 장(章)의 서두마다 여자를 찾는 삼손을 묘사하고 있다. 사사기 14, 15, 16장의 서두는 여자를 찾는 삼손을 그리고 있다. 삼손은 하나님과 교제하는 성전을 찾기보다, 사명을 감당하기 위한 능력의 통로인 기도의 자리를 찾는 것보다, 고난 속에 있는 백성을 찾기보다는 항상 여자의 집을 찾는다. 마치 꽃을 찾는 데 여념 없는 나비처럼, 그의 관심의 초점은 여자와 달콤한 쾌락이었다.

나실인 의식을 만족시켰지만, 그는 영적 정결을 유지하고 완성하지 못했다. 도덕적 정결 없는 종교적 헌신을 하나님께서는 받지 않으신다(사 1:11-15). 경건의 모양을 갖추면 무엇하랴? 경건의 모양(儀式)보다는 경건의 능력(實在)이 더 중요하지 않는가?(딤후 3:5).

2. 소명의식의 부족

삼손은 출생 동기와 목적에 집중하지 못했고, 그를 통해 민족을 구원하시려는 하나님의 뜻을 이해하지 못했고, 그를 위해 하나님이 부여하신 힘이라는 재능을 남용했다.

뿐만 아니라 그는 하나님의 영광보다 자신의 영광을 추구했다. 문짝과 문설주를 빼어 어깨에 메고 당당히 헤브론 산으로 향하는 모습(삿 16:3)을 보라! 하나님이 부여하신 힘을 가지고서 하나님께 영광을 돌리기보다 자신에게 영광을 돌리는 그 교만한 모습을!

3. 세속적 가치와 바꾼 영적 가치

하나님이 부여하신 힘의 비밀, 영적 가치는 '세속이라는 가위'에 깡그리 밀리고 말았다. 여자의 무릎 위에서 하나님이 부여하신 힘은 산산조각 나고 나실인이라는 영적 가치는 세속의 가위질 앞에 무기력했다.

4. 초기에 물리쳐야 할 시험

삼손의 사탄에 대한 방어선은 원(遠)에서 근(近)으로 후퇴한다. 칡 일곱으로 결박하는 것, 세 줄로 몸을 결박하는 것, 머리털 일곱을 위선으로 짜는 것은 먼 산(山)에서 가까운 몸(肉)으로, 그리고 비밀의 메트릭스(matrix)인 머리(髮)로 방어선이 후퇴하는 것이다. 초기에 막지 못한 방어선은 결국 무너지고 말았다!

한 유목민이 낙타를 타고 가다가 어둠이 찾아들어 광야에서 텐트를 치고 잠을 청했다. 사랑하고 아끼는 낙타는 텐트 밖에 세워두었다. 밤 추위가 만만치 않았다. 잠이 들 무렵, 뭔가 따뜻한 감촉을 느껴 잠을 깨니, 밖에 세워둔 낙타 코가 텐트 안으로 들어와 있었다. 낙타는 "주인님, 밖이 너무 추우니 내 코만이라도 텐트 안으로 들어갈 수 있도록 허락해 주세요." 했다, 주인은 자비로운 마음으로 "그렇게 하라."고 했다. 그런데 얼마 있다가 다리가 무거워 잠을 깨니 낙타 머리가 주인의 다리 위에 올라가 있었다. "주인님, 밖은 너무 추우니 내 머리만이라도 텐트 안에 들어갈 수 있도록 자비를 베풀어 주세요." 했다. 주인은 "그렇게 하라."고 했다. 제법 시간이 지났을까? 몸이 너무 무거워 잠을 깨니 낙타는 주인을 깔아뭉개고 있었다,

낙타 코가 들어왔을 때, 주먹으로 한 방 먹여 다시는 도모하지 못하도록 했어야 했다. 죄도 마찬가지다.

삼손은 나실인이라는 높은 영적 지위에서 비참하게도 풍요와 다산의 상징인 곡물신 다곤(머리 가슴 팔은 사람, 그 나머지는 고기 형상)과 헛된 우상을 섬기는 원수들 앞에서 눈이 먼 채 곰처럼 재주를 부리는 노리개 감으로 전락했다. 눈을 뽑는 것은 당시 잔인한 형벌 중의 하나였다. 바벨론 왕 느부갓네살이 시드기야 왕을 포로로 끌고 갈 때도 그의 두 눈을 뽑았다(민 16:14, 왕하 25:7). 또 맷돌을 가는 것은 가장 천한 노동이었다. 헬라와 로마가 노예들에게 부과하는 형벌이었다.

5. 소홀히 한 부모의 자녀 교육

삼손에 관한 기사 어느 곳을 보아도 부모가 기도로 아이, 그것도 특별한 나실인으로서의 아이를 양육했다는 기록은 보이지 않는다. 오히려 성경은 아들을 데리고 하나님의 성전으로 가는 부모의 모습보다 아들과 함께 아들이 사랑하는 여자에게로 함께 내려가는 부모의 모습을 그리고 있다(삿 14:5).

솔로몬의 세속화 과정을 보면, 하나님을 떠남→향락 추구→시험을 물리칠 도덕적 힘 상실→패배. 패배 이상으로 분패다.

마찬가지로 오늘 크리스천이 어떤 자리를 찾고 무엇을 추구하느냐는 중대한 문제다

* 어떤 자리를 찾는가?

12 습관의 힘
(삿 12:5-6)

길르앗 사람이 에브라임 사람보다 앞서 요단강 나루턱을 장악하고 에브라임 사람이 도망하는 자가 말하기를 청하건대 나를 건너가게 하라 하면 길르앗 사람이 그에게 묻기를 네가 에브라임 사람이냐 하여 그가 만일 아니라 하면 그에게 이르기를 쉽볼렛이라 발음하라 하여 에브라임 사람이 그렇게 바로 말하지 못하고 십볼렛이라 발음하면 길르앗 사람이 그를 잡아서 요단강 나루턱에서 죽였더라. 그때에 에브라임 사람의 죽은 자가 사만 이천 명이었더라(삿 12:5-6)

흄(David Hume)은 "인간은 습관의 묶음, 습관의 덩어리"라고 말했다.

지금은 모든 것이 자동화되어 편리하지만, 얼마 전에는 버스에 안내양이 있었다. 사람들이 버스 문짝에 매달려서라도 타면 기사는 버스를 반대쪽으로 기울여준다. 그러면 사람들이 안쪽으로 쏠리게 된다. 그 사이 안내양은 버스 문을 닫고 "오라이"(all right) 한다. 안내양의 "오라이" 외침을 듣고 버스는 출발한다. "버스는 오라이 힘으로 간다." 결혼한 어느 안내양은 잠꼬대도 "오라이" 하고, 아침에 남편이 출근할 때도 "안녕히 다녀오세요."가 아니라 "안녕히 오라이." 했다고 한다. 습관의 힘을 잘 말해준다.

옛날, 산촌에서 형제가 소의 쟁기질을 하는데, 형이 앞에서 소의 고삐를 붙들어 끌고 아우는 뒤에서 보습으로 밭을 갈았다. 그런데 아우는 소리를 질러 소한테 재촉하고 싶어도 형이 고삐를 쥐고 있으니 차마 "이랴 저랴" 할 수 없어서 "형님, 이리로 가이소", "형님, 저리로 가이소" 하면서 길을 들였다. 그런 일이 있은 후 여러 날 후에 아우가 혼자 소를 몰고 나가서 산비탈의 밭을 가는데 아무리 "이랴, 저랴" 하고 소리를 질러도 소는 바보처럼 그냥 서 있기만 했다. 화가 나서 때리고 발로 차도 꿈쩍을 하지 않았다. 그런 까닭은 길을 들일 때 한 번도 "이랴, 저랴" 소리를 들어보지 못했기 때문이었다. 나중에야 이를 깨달은 아우는 "형님, 이리로 가이소", "형님, 저리로 가이소" 하니까 신통하게도 말을 잘 들었다는 것이다.

미국의 여류 작가 리디아 시고니(Lidia Sigoni)는 "어렸을 때 좋은 습관을 갖게 해 주는 것이 인생의 성패를 좌우한다. 어릴 때 습관은 거미줄과 같다. 미풍에도 흐느적거리지만, 굳어지면 강철 같은 철망이 된다. 코끼리 힘으로도 꿈쩍하지 않는다."라고 말했다.

춘추전국시대 노나라 복부제는 선부 고을 원님으로 재직할 때 제나라 군사들의 침입을 받았다. 그는 즉시 "성문을 닫으라"는 명령을 내렸다. 그때는 추수기였고 성문 밖에는 보리가 누렇게 익어가고 있었다. 백성들은 "기껏 농사 지어 적병들에게 넘겨줄 바에야 적군이 도착하기 전에 모두 나가서 아무 밭에서나 자기 힘대로 걷어 들이는 것이 어떠냐?"고 했다. 그때 복부제는 말했다: "일 년 지은 곡식을 적병에게 빼앗기는 것은 아깝기 그지없으나, 급하고 손쉽다고 해서 남의 곡식을 마구 베어다 먹는 버릇이 쌓이면 12년 가도 고칠 수 없는 일이다."라고 하며 그 제안을 거절했다고 한다.

1. 에브라임 사람들의 시비

사사기 시대는 하나님의 말씀이 희귀하여 백성이 제 맘대로 행동하던 종교 암흑기였고, 하나님에 대한 반역과 회개가 계속 반복되었다. 고통 중에 부르짖는 그들을 하나님께서 불쌍히 여겨 구원하시면 곧장 반역으로 되돌아가던 철면피한 시대였다.

하나님은 이번에 블레셋과 암몬으로 이스라엘을 괴롭혔다. 그들이 하나님께 부르짖자 자비로우신 하나님은 입다를 사사로 세우셨다. 입다는 성급히 서원하여 승전하고 돌아온 후에 딸을 제물로 바치는 비운의 주인공이 되었다.

요단 동쪽에 있던 지파의 사람들이 입다의 지휘 아래 암몬을 정복했다. 그러자 에브라임 사람들은 전쟁에 불러주지 않은 입다의 처신에 불만을 드러내고 시비를 걸어왔다. 기드온이 승리했을 때에도 그랬다(삿 8:1). 시비의 이유는 결국 '자신들의 이름이 드러나지 않은 것에 대한 분노와 남이 잘되는 것에 대한 시기심' 때문이었다. 한편 정치적으로는 암몬에 대한 이스라엘의 주도권을 차지하려는 의도였다.

2. 삶에서 반복되는 일상사가 이후 우리를 생사의 갈림길에 놓이게 한다.

요단 나루턱을 먼저 점령하여 에브라임 사람들이 지나갈 때 "너는 에브라임 사람이냐?"고 질문하여 만일 "아니라"고 부인하면, "쉽볼렛"(옥수수 한 자루. 헬)이라 말한 다음 그 사람이 "십볼렛"이라 발음하면 다 잡아 죽였다. 그래서 죽은 사람이 42,000명이었다.

에브라임 사람들은 평소에 "십볼렛"으로 발음하던 습관이 있어 "쉽볼렛"이라 발음하지 못했다. 우리나라에서도 날씨가 쌀쌀한 것을 경상도 사람들은 "날시가 살살하다"라고 발음하고 쌀을 "살"이라 발음하는 것과 비슷하다. 평소의 습관이 자신들을 죽음으로 몰아넣었던 것이다.

제사장 엘리의 아들들은 나쁜 습관이 있었지만(삼상 2:13), 엘리는 그 습관을 시정시키려고 힘을 쓰지 않았다. 그들은 나쁜 습관 때문에 결국 죽임을 당했다.

빌 게이츠는 "30년 간 사람이 습관을 만들지만, 그 이후는 습관이 사람을 만든다."고 했다.

* 버려야 할 나쁜 습관이 있는가?

어떤 좋은 습관을 가지려 하는가?

13 에벤에셀의 하나님

(삼상 7:3-14)

사무엘이 이스라엘 온 족속에게 말하여 이르되 만일 너희가 전심으로 여호와께 돌아오려거든 이방 신들과 아스다롯을 너희 중에서 제거하고 너희 마음을 하나님께로 향하여 그만을 섬기라. 그리하면 너희를 블레셋 사람의 손에서 건져내시리라. 이에 이스라엘 자손이 바알들과 아스다롯을 제거하고 여호와만 섬기니라. 사무엘이 이르되 온 이스라엘은 미스바로 모이라. 내가 너희를 위하여 여호와께 기도하리라 하매 … 이스라엘 자손이 미스바에 모여 물을 길어 여호와 앞에 붓고 그날 종일 금식하고 거기에서 이르되 우리가 여호와께 범죄하였나이다 하니라. 사무엘이 미스바에서 이스라엘 자손을 다스리니라. 이스라엘 자손이 미스바에 모였다함을 블레셋 사람들이 듣고 그들의 방백들이 이스라엘을 치러 올라온지라 … 그날에 여호와께서 블레셋 사람들에게 큰 우레를 발하여 그들을 어지럽게 하시니 그들이 이스라엘 앞에 패한지라 … 사무엘이 돌을 취하여 미스바와 센 사이에 세워 이르되 여호와께서 여기까지 우리를 도우셨다 하고 그 이름을 에벤에셀이라 하니라(삼상 7:3-14)

사무엘의 목표는 이스라엘을 하나님의 앞에 거룩한 백성으로 세우는 것이었다. 그런데 하나님 앞에 서려면 먼저 온전한 회개가 이루어져야 한다. 그리고 회개의 중심은 우상 근절이다. 하나님은 우상숭배를 가장 혐오하시는 질투의 하나님이시다. 하나님의 질투는 당신의 영광을 위한 질투, 즉 당신의 영광을 우상에게 주시지 않는 것이다.

미스바의 부흥운동은 회개가 출발점이다. 레리 토마스는 "하나님의 거룩하심과 우리 죄의 깊이에 대한 자각은 부흥의 전제 조건이다."라고 했다.

1. 미스바의 외침

회개 없이는 하나님과의 관계회복이 불가능하다. 회개 운동을 위해 사무엘은 이스라엘 백성을 미스바(영적 망대)에 모이게 했다. 그리고 말했다: "너희가 전심으로 여호와께 돌아오려거든 이방 신들과 아스다롯을 너희 중에서 제거하고 너희 마음을 여호와께로 향하여 그만을 섬기라. 그리하면 너희를 블레셋 사람의 손에서 건져내시리라."

미스바에 모여 종교행사를 한다는 첩보를 얻은 블레셋은 기회는 이때다 하고 이스라엘을 침공했다. 지피지기면 백전백승이라, 자신들이 군사적 공격을 감행하려는데 정작 상대방은 아무런 대비도 하지 않고 종교행사에 몰입하니 이보다 더 좋은 기회가 어디 있으랴! 블레셋에게는 호재였다.

그러나 사무엘의 마음은 조금도 흔들리지 않았다. 그 이유는 살아계신 하나님이 우편에 계셨기 때문이다(시 16:8). "내가 여호와를 항상 내 앞에 모심이여. 그가 나의 오른편에 계시므로 내가 흔들리지 아니하리로다."

2. 온전한 번제와 기도

절체절명의 위기의 순간에 이스라엘은 하나님께 기도와 온전한 번제를 드렸다. 전쟁이 발발한 상황에서 상식적으로 먼저 안전을 위해 회중을 시급히 분산시키는 일을 하지 않았다. 가능한 군사들을 더 불러 모으고 병력과 장비를 점검하며 충원하지 않았다. 혼비백산의 모습을 그 어디에서도 찾아볼 수 없다. 대신 온전한 번제를 드리고 기도(부르짖음)하는 예배에 몰두했다.

구원하는 데에 군마는 헛되며 군대가 많다 하여도 능히 구하지 못하며(시 33:17), 여호와의 구원은 사람이 많고 적음에 달리지 않는다(삼상 14:6).

철기 병기로 무장한 강력한 해변민족인 블레셋을 상대하기란 이스라엘로서는 중과부적(衆寡不敵)이었지만, 하나님의 강한 손이 역사하므로 블레셋은 이스라엘 앞에 패하고 말았다. 하나님께서 블레셋 사람들에게 큰 우레를 발하여 그들을 어지럽게 하셨기 때문이다.

오늘날 많은 신자들은 이 핑계 저 핑계를 대면서 주일예배에 빠진다. 여호와의 성일(聖日)인 주일을 존귀하게 여기며(사 58:13), 주를 기억하며 주의 길을 가는 대신(사 64:5), 자기의 길 - 오락의 길(2회 사용됨), 유흥의 길, 각종 행사참여의 길 등 - 을 스스럼없이 걸어간다. 예배는 여러 취향 혹은 놀이 가운데 하나로 전락하고 있다. 전반적으로 신앙생활은 하나의 종교놀이로 전락하고 있다. '예배에 목숨 거는 일'은 잠꼬대에 불과하다.

칼 바르트는 "주일 성수는 창조신앙의 고백"이라 말했다. 주일(안식일)을 지킴으로써 우리는 하나님을 창조주로 인정하는 것이다. 역으로, 주일을 무시하거나 등한시 하는 것은 하나님을 창조주로 인정하지 않는 무신론이요 불신앙이다!

몰트만은 "안식일은 참되신 하나님을 알지 못하고 무시하는 모든 이방 종교에 대한 책망과 견책이다."라고 했고, 하비 젤리는 "불신앙은 안식일의 요구를 무시하고, 탐욕은 안식일이 매주 돌아오는 것을 싫어한다."라고 했으며, 윌리엄 블랙스톤은 "도덕의 부패는 안식일의 세속화에 뒤따른다."라고 했다. 또 드와이트 무디는 "안식일을 포기한 국가를 내게 보이라. 나는 쇠퇴의 씨앗을 가진 국가를 보이리라."고 했다.

미국의 연방 수사국장은 미국 어린이들의 구원을 위해 교회에서 주일을 지킬 것을 다음과 같이 요구했다: "법을 시행하는 FBI 국장인 나 에드거 후버는, 어린이들이 자기들의 근원적인 대상인 하나님을 예배드리는 것을 잊는다면 우리나라의 근본적인 죄가 줄어들 희망이 없다고 생각한다."

살아계신 창조주 하나님은 주일(안식일)을 성수하는 자에게 세 가지 복을 약속하셨다: 즐거운 인생, 지위 상승, 그리고 물질 축복(야곱의 업)이다 (사 58장). 반대로 주일을 성수하지 않으면 예루살렘 성문에 불을 놓으신다!(렘 17:27).

3. 에벤에셀: 도움의 돌

하나님의 도움으로 이스라엘은 블레셋 군대를 대파했을 뿐 아니라 벧갈 아래까지 블레셋을 추격했다. 그리고 이스라엘은 미스바와 센 사이에 에벤에셀 승전 기념비를 세웠다: "여호와께서 여기까지 우리를 도우셨다." 하나님의 이름을 높여드리고 영광을 하나님께 돌렸다.

우리는 어떤 기념비를 세워야 할까?

지금 이 시간까지 도우신 하나님께 우리는 나름대로의 기념비를 세워야 하지 않을까? 그 기념비는 각자에 따라 다를 것이지만...

하나님은 블레셋에게 빼앗겼던 땅을 도로 찾아주시고(에그론부터 가드까지) 그 땅에 평화도 주셨다. 진정한 예배에 따른 복이다(사 58장). 복을 받기 위한 예배, 수단화 된 예배는 도박과 같지만, 살아계신 하나님께 나아가는 참된 예배는 복의 길이다!

* 무엇을 인생에 도움으로 삼는가?

14 로뎀 나무 아래서

(왕상 19:1-8)

아합이 엘리야가 행한 모든 일과 그가 어떻게 모든 선지자를 칼로 죽였는지를 이세벨에게 말하니 이세벨이 사신을 엘리야에게 보내어 이르되 내가 내일 이맘때에는 반드시 네 생명을 저 사람들 중 한 사람의 생명과 같게 하리라 그렇게 하지 아니하면 신들이 내게 벌 위에 벌을 내림이 마땅하니라 한지라. 엘리야가 이 형편을 보고 일어나 자기의 생명을 위해 도망하여 유다에 속한 브엘세바에 이르러 자기의 사환을 그곳에 머물게 하고 자기 자신은 광야로 들어가 하룻길쯤 가서 한 로뎀 나무 아래에 앉아서 자기가 죽기를 원하여 이르되 여호와여 넉넉하오니 지금 내 생명을 거두시옵소서. 나는 내 조상들보다 낫지 못하니이다 하고 로뎀 나무 아래에 누워 자더니 천사가 그를 어루만지며 그에게 이르되 일어나서 먹으라 하는지라 본즉 머리맡에 숯불에 구운 떡과 한 병 물이 있더라. 이에 먹고 마시고 다시 누웠더니 여호와의 천사가 또 다시 와서 어루만지며 이르되 일어나 먹으라 네가 갈 길을 다 가지 못할까 하노라 하는지라. 이에 일어나 먹고 마시고 그 음식물의 힘을 의지하여 사십 주 사십 야를 가서 하나님의 산 호렙에 이르니라(왕상 19:1-8)

먼 나라로 가는 여객선에 밀항하는 사람이 있었다. 몰래 배를 탔기 때문에 숨어 지내야 했고, 목적지에 이를 때까지 누구에게도 들켜서는 안 되었다. 그렇게 사람들의 눈을 피해가면서 이리저리 숨어 지내다가 하루는 냉동실 안으로 들어가 숨었다. 그런데 불행하게도 냉동실은 문이 잠기면 안에서는 열 수 없고 밖에서만 열 수 있는 구조였다. 그 안에 들어간 사람은 문을 열고 나올 수 없었다. 아무도 그 문을 여는 사람이 없어 그는 결국 얼어 죽고 말았다.

항해가 끝나고 목적지에 이르렀을 때, 배 안을 점검하던 선원은 냉동실 안에서 죽은 사람의 시체를 발견했다. 놀라운 것은 그 사람이 자신의 죽어가는 과정을 일기장처럼 벽에 써 놓은 글이었는데, "냉동실 안에 갇혔다." "춥다." "점점 내 몸이 얼어 마비되어 가고 있다." 이렇게 상세히 죽음의 과정을 기록해 놓았다는 점이다. 그런데 사실 그 배는 냉동실을 가동하지 않고 있었다. 다시 말해 그 사람은 냉동실이기 때문에 당연히 춥다고 생각했고, 시간이 갈수록 체온이 내려간다고 믿었다. 아무도 구해줄 수 없기 때문에 희망을 잃고 포기했다. 냉동실이긴 하지만, 일상의 온도에서 얼어 죽고 만 것이었다. 이렇게 인간의 의지는 때로는 환경 앞에 약하기 그지없다.

1. 아합의 정략결혼의 비극

이스라엘 왕 아합은 시돈 왕 엣바알('바알이 함께 한다')의 딸 이세벨을 아내로 맞아들였다. 이세벨은 바알을 가져들여왔고 아세라상도 세웠다. 이스라엘은 종교혼합주의에 짙게 물들었다.

한편 이세벨은 여호와의 기업인 백성이 소유한 땅도 왕이 마음대로 좌지우지할 수 있다고 아합을 꼬드겼다. 시돈에서는 모든 땅이 왕의 소유였기 때문이다. 나봇의 포도원 사건이 일어난 것도 그녀로 말미암은 것이었다.

이러한 일련의 사건 때문에 하나님의 사람 엘리야는 분연히 일어섰다. 백성을 하나님과 하나님의 말씀으로 돌이키는 종교개혁이라는 과업이 그의 어깨 위에 얹혀 있었다. 하나님의 사람 엘리야는 갈멜산에서 홀로 바알 선지자 450명, 아세라 선지자 400명과 목숨을 건 대결을 했다. 결과적으로 백성이 지켜보는 가운데 하나님은 불로 응답하셨고 엘리야는 이방 선지자 모두를 잡아 죽였다.

2. 환경(형편)을 본 엘리야

이세벨은 "내가 반드시 너를 죽일 것이다"라고 위협했다. 이 말을 들은 엘리야는 단숨에 브엘세바까지 도망했다. 브엘세바는 이스라엘 영토 최남단 유다 지역의 맨 끝이다. 여기에 이르렀다 말은 "갈 데까지 갔다" "끝까지 갔다"는 의미이다. 그것도 모자라서 사환들을 남겨둔 채 하룻길쯤 더 깊이 광야로 숨어들었다. 갈멜산에서 보여준 모습과는 달라도 너무 달랐다!

이전에 하나님을 바라본 엘리야는 이제 "형편을 보았다"(19:3). 하나님을 바라볼 때는 아무 두려움 없이 확신에 차서 장엄한 영적 대결을 펼쳤던 카리스마를 지닌 그가, 이제는 형편(환경)을 본 나머지 두려움에 사로잡혔다. 물 위를 걷던 베드로가 주님을 바라볼 때는 두려움 없이 물 위를 걸었지만, 주님으로부터 눈을 떼어 바람과 풍랑을 바라보자 두려움에 사로잡혀 물속에 빠져버렸던 것과 너무나 흡사하다(마 14:22-33).

그들은 자신들의 성공의 희생양이 된 것인가? 실존주의 철학자 키르케고르는 "절망은 죽음에 이르는 병이다."라고 했다. 하나님을 보지 않고 환경을 바라볼 때 인간은 절망한다.

한편, 정신병리학적 관점에서 보면 성경의 위대한 인물들과 같이 엘리야는 우울증에 빠졌다. 칼빈, 루터, 웨슬레도 그렇다. 엘리야의 우울증은 비정상적인 우울증이 아니라 정상적인 우울증인 '아드레날린 우울증'에 속한다. 갈멜산의 영적 전투, 먼 거리의 보행 - 사르밧에서 갈멜까지 80km, 이스르엘까지 40km, 브엘세바까지 140km, 광야까지 4km - 으로 엘리야의 육체와 영혼은 고갈되었다.

이세벨의 위협과 심신의 탈진(burn-out)으로 엘리야는 바닥까지 내려갔다! 제아무리 하나님의 사람이라 해도 육을 지닌 연약한 인간이기 때문에 한계를 지닌다. 정신과 육체는 상관관계에 있다. 정신이 강하면 육도 강하고, 육이 강하면 정신도 강하지만, 만일 어느 한 쪽이 약해지면 상대편도 약해질 수밖에 없다.

엘리야는 회복되어야 한다! 몸도 마음도 모두 회복되어야 한다!

3. 하나님의 음성이 들려오는 광야

엘리야는 브엘세바에 사환을 머물게 한 뒤 광야로 더 들어갔다. 광야(미드바르)는 아무도 살지 않는 곳이다. '미드바르'는 다바르, 즉 하나님의 말씀이 들려오는 곳이다. 결국 엘리야가 도피하여 간 곳은 하나님의 세미한 음성을 듣는 곳이었다!

우리 모두에게는 개인의 광야가 필요하다. 예수께서 말씀하신 바와 같이 골방도 광야가 될 수 있고, 호젓한 숲속이나 숲속 길도, 조용한 호숫가나 해변가도 광야가 될 수 있다. 하나님을 묵상하는 곳이면, 기록된 하나님의 말씀을 묵상하는 곳이면 그 어디나 광야가 될 수 있다.

그 어느 곳이든 우리는 개인의 광야를 만들어야 한다! 광야의 영성이 진정한 기독교의 영성이다.

4. 로뎀 나무 아래서

엘리야는 먼저 신체적 우울 치료를 필요로 했다. 하나님은 천사를 보내서서 엘리야에게 물과 음식을 제공하셨고, 엘리야는 힘을 얻었다. 엘리야는 잠도 자야 했다. 영양 부족과 수면 부족은 신체적 우울증의 원인이기 때문이다.

엘리야는 로뎀 나무 아래 누웠다. 로뎀은 '붙들어 매다'는 뜻을 지닌 '라탐'에서 비롯된 말로서 '사명을 새롭게 하다'란 뜻이다.

엘리야는 로뎀 나무 아래서 사명을 새롭게 했다. 엘리야 자신이 새롭게 한 것이 아니라 하나님께서 엘리야의 소명을 새롭게 한 것이다. 하나님은 사명이 마칠 때까지 선택하신 종을 버리시지 않고(포기하시지 않고) 붙드신다!

* 하나님의 말씀이 들려오는 광야에 머무르는가?

15 하나님께 묻지 않은 사울

(대상 10:13-14)

사울이 죽은 것은 여호와께 범죄하였기 때문이라. 그가 여호와의 말씀
을 지키지 아니하고 또 신접한 자에게 가르치기를 청하고 여호와께 묻
지 아니하였으므로 여호와께서 그를 죽이시고 그 나라를 이새의 아들
다윗에게 넘겨주셨더라(대상 10:13-14)

역사가 웰츠(H. G. Welz)의 《대주교의 죽음》에 나오는 이야기다. 대주
교가 기도 시간이 되어서 성전에 들어가 기도했다: "오! 전능하시고 자비로
우신 하나님…" 하고 기도를 시작했을 때, 하늘에서 소리가 들렸다: "오냐,
무엇을 고하려 하느냐?" 깜짝 놀란 주교는, "하나님, 정말 기도를 듣고 계
셨군요!" 하면서 그 자리에서 심장마비로 쓰러져 죽고 말았다. 그는 평생
형식적인 기도, 확신 없는 기도를 했다는 말이다.

이스라엘 백성은 신정(神政: 하나님의 통치)을 거부하고 주변 나라들처럼 왕을 요구했다. 왕이 있어야 나라가 강하고 외세의 위협에 대해 안전할 수 있는 힘을 가진다는 통속적 관념에 사로잡힌 것이다. 결국 사울이 왕이 되어 이스라엘을 다스리기 시작한 2년 후에 강력한 철병거로 무장한 해변 족속 블레셋이 침공해왔다. 다급한 사울은 선지자 사무엘에게 전갈을 보냈다. 길갈로 다시 내려와서 제사를 드려달라는 것이었다. 전쟁 전에 공동번제를 드리는 일이 필요했기 때문이다.

1. 하나님의 말씀을 어긴 사울

사무엘은 이레(7일)를 기다리라는 메시지를 사울에게 보냈다. 그런데 사실 나는 급해 죽겠는데 도움을 받아야 할 사람으로부터 "기다리라"는 말을 듣는 것만큼 힘들고 짜증나는 일은 없다. 상황이 다급해지고(병사들은 흩어지고) 사무엘은 나타나지 않자, 사울은 자신이 번제를 드렸다. 그러나 번제를 드리고 나자마자 사무엘이 당도했다.

사울은 기다림에 실패했다. 기다림에 실패했다는 것은 믿음이 없기 때문이다. 기다림은 믿음이다(사 25:9, 시 40:1, 애 3:25-26).

기다림의 달인(達人) 가운데 사가랴와 엘리사벳이 있다(눅 1:5-25). 하나님 앞에서 흠 없이 행하던 무자(無子)한 그들은 믿음으로 하나님의 응답을 기다렸다. 마침('마침'은 하나님의 섭리의 기회를 말한다) 일생에 한 번 올까 말까한 기회를 얻어 제사장의 직무를 행하던 중 천사를 통해 하나님의 응답을 받게 되고, 그들은 예수의 길을 예비하는 큰 아들 세례 요한을 얻게 된다.

하나님을 기다리는 자는 복이 있다(사 30:18). 그래서 하나님의 뜻 성취가 비록 더딜지라도 기다리라고 하박국 선지자는 말한다(합 2:3). 기다리는 자에게 하나님은 선을 행하신다(애 3:25). 그런 면에서 기다림이 없다는 것은 그에게는 '하나님 부재(不在)'를 의미한다!

2. 제사장의 권한을 침범한 사울

사울은 제사장의 권한도 침범했다. 제사장의 권한을 침범하는 것은 하나님의 말씀을 무시하고 깨뜨리는 치명적인 교만이었다.

에디스의 우화(Story of Edith)에 의하면, 에디스는 사방으로 포위당한다. 동쪽으로 도망치려 하니까 강한 나라가 가로막고 있다. 그 나라의 이름은 에디스였다. 서쪽에는 무서운 거인이 있다. 그의 이름도 에디스였다. 북쪽에는 사나운 사자가 있고 남쪽은 악어가 득실거리는 강으로 막혀있다. 그 모든 이름이 에디스였다. 적은 결국 에디스였다. '사울의 적은 바로 사울 자신'이었다.

교만은 패망의 선봉이라고 잠언은 교훈하고 있다(잠 16:18). 처음 하나님의 은총의 선택을 받을 때 사울은 그나마 겸손했다: "나는 이스라엘 지파의 가장 작은 지파 베냐민 사람이 아니니이까 또 나의 가족은 베냐민 지파 모든 가족 중에 가장 미약하지 아니하니이까?"(삼상 9:21). 겸손했던 사울은 어느 순간 교만한 사울로 변해 있었다. 겸손이 교만으로 둔갑하는 데는 별로 시간이 걸리지 않는다.

3. 헤렘의 불순종

사울의 반역은 그뿐만이 아니다. 아멜렉을 진멸하라(삼상 15:3)는 하나님의 명령을 사울은 불순종했다. 아말렉 진멸은 하나님의 도덕적 심판인,

'하나님께 바쳐진 성전(聖戰. Herem)'이기 때문에 사울은 순종해야만 했는데, 그렇게 하지 않았다. 사울은 아말렉 왕을 살려주고 살진 짐승들을 전리품으로 끌고 왔다. 그의 변명은 하나님께 드릴 제사를 위한 것이라고 했지만, 사실은 자신의 탐욕의 결과였다.

순종이 제사보다 낫다(삼상 15:22). 하나님은 순종 없는 많은 제물보다 제물 없어도 순종하는 삶을 더 기뻐하신다. 수없이 예배를 드려도 말씀에 순종하지 않는 삶을 산다면 그 예배는 헛것인 것과 같다.

사무엘은 말한다: "하나님의 말씀을 거역하는 행위는 점치는 죄(divination)와 같고, 완고한 것은 우상에게 절하는 죄(worship of idol)-자기 자신이 만든 가치체계를 절대화 하는 것-와 같음이라. 왕의 마음이 완고하여 악(lust)-하나님을 도외시하고 자기만족, 자기가 원하는 바를 손에 넣으려는 것-을 행하였음이라"(삼상 15:23).

사울은 이미 하나님으로부터 멀리 떠나 있었다!

4. 자신의 손을 든 사울

사울은 하나님의 은혜와 도우심으로 아말렉을 물리친 후 승전 기념비를 세웠다(삼상 15:12). 원문의 의미는 "사울이 손을 세웠다"는 것이다. 자기 손을 세우는 행위는 하나님을 높이는 대신 자기를 높이는 것이다. "내 힘으로 일을 이루었다"는 자화자찬이다. 구원을 이루신 하나님께 감사와 영광을 돌리기보다 자신에게 영광을 돌리는 행위다. 말하자면 자기숭배다! 이는 탑을 높이 쌓고 "우리 이름을 내자"(창 11:4)는 불경건한 노아의 후손들의 악한 경영과 같은 오만불손의 패역이다. 사울은 명성에 대한 탐욕으로 하나님의 영광을 강탈했다.

5. 다윗에 대한 피해망상과 성격장애

흔히 사울의 성격장애를 여섯 가지로 말한다. 첫째, 수동 공격성 인격장애(passive aggressive personality disorder. 삼상 10:22, 짐보따리 뒤에 숨지만 공격성을 내면에 지님). 둘째, 편집성 인격장애(paranoid personality disorder. 다윗에게 왕위를 빼앗길까봐 노심초사. 삼상 20:31, "이새의 아들이 사는 동안은 너-요나단-와 네 나라가 든든히 서지 못하리라"). 셋째, 피해망상(persecution mania. "사울은 천천이요 다윗은 만만이로다" "그가 더 얻을 것이 나라말고 무엇이냐?"). 넷째, 반사회성 인격장애(Anti-social personality disorder. 삼상 26:21이하, "내가 범죄하였도다. 내 아들 다윗아 돌아오라 네가 오늘 내 생명을 귀하게 여겼은즉 내가 다시는 너를 해하지 아니하리라. 내가 어리석은 일을 하였으니 대단히 잘못되었도다"고 하지만 계속 다윗을 제거하려고 추격). 다섯째, 싸나토스 충동(Thanatos impulsion. 삼상 31:4하반절, "사울이 자기의 칼을 뽑아서 그 위에 엎드러지매"). 마지막 여섯째, 조울증(manic depressive psychosis. 정신 질환의 하나로, 감정 변화의 기복이 심하여 상쾌하고 흥분된 상태와 우울하고 억눌린 상태가 번갈아가며 또는 한쪽이 주기적으로 나타나는 증세)이다.

6. 신접한 여인에게 묻는 사울

신명기 18장 9-14절에서, 하나님은 이미 이스라엘 백성에게 이방 풍속을 따르지 말 것을 명령하셨다. 약속의 땅 가나안 주민들은 윤리적인 죄악 외에도 아들딸을 불 가운데 지나가게 하고, 점을 치며, 길흉을 말하며, 요술을 하며, 진언하며, 신접하며, 초혼하여 영적으로 땅을 더럽히고 있었다. 하나님은 이스라엘을 군대로 소집하셔서 죄악이 가득한 땅을 정결케 하시기 위해 가나안 주민을 내쫓으려 하신 것이다.

그런데 이제 하나님의 사람이었던 사울은 다윗처럼 하나님께 묻는 대신 도움을 얻기 위해 신접한 자를 찾았다. 사울은 하나님께서 가증히 여기시는 일을 행하는 데 주저하지 않았다(삼상 28:3-25). 그러나 다윗은 우리야의 아내 밧세바 일 외에는 하나님께 순종했고 항상 하나님께 물었다. 하나님께 묻는다(기도)는 것은 하나님을 신뢰하고 의지한다는 것이다. 그것은 살아있는 신앙의 표지다!

희대의 영웅이었던 사울은 하나님께 버림받아 아들들과 함께 길보아 전투에서 비참한 종말을 맞이했다.

역대기 기자는 말한다:

"사울이 죽은 것은 여호와께 범죄하였기 때문이라. 그가 여호와의 말씀을 지키지 아니하고 또 신접한 자에게 가르치기를 청하고 여호와께 묻지 아니하였으므로 여호와께서 그를 죽이시고 그 나라를 이새의 아들 다윗에게 넘겨주셨더라"(대상 10:13-14)

* 하나님께 묻고 있는가?

16 새로운 피조물

(사 43:19-20)

너희는 이전 일을 기억하지 말며 옛적 일을 생각하지 말라. 보라 내가
새 일을 행하리니 이제 나타낼 것이라. 너희가 그것을 알지 못하겠느냐.
정녕히 내가 광야에 길과 사막에 강을 내리니(사 43:19-20)

그리스신화 이야기다. 한 여인이 스틱스 강가에 와서 영원한 나라로 건너
가려고 했다. 그때 뱃사공이 말했다: "레테 호수의 물을 마시고 건너가든지
안 마시고 건너가든지 둘 중 하나를 선택해야 합니다."

여인: "그 물을 마시면 어떻게 되는 거죠?"

뱃사공: "지난날의 모든 것을 말끔히 잊을 수가 있습니다."

여인: "그렇게 좋은 일이 어디 있어요? 그 물을 마시겠어요!"

뱃사공: "그런데 동시에 과거의 기뻤던 일도 다 잊게 됩니다."

여인이 생각하고 있는 동안에 뱃사공은, "이 물을 마시면 미워했던 일도
잊게 되지만, 사랑했던 추억도 잊게 됩니다."라고 하자 여인은 고개를 들고

잠시 생각에 잠기더니 말했다. "난 이 물을 마시지 않겠습니다."

1. 기억은 소중한 것

이 이야기는 슬프고 괴롭고 미움에 찬 기억을 잊어버리고 싶지만, 기쁨과 사랑의 추억이 훨씬 값진 것이기 때문에 차라리 양쪽 다 기억에 남기겠다는 의미이다. 기억은 우리 인간의 삶의 한 귀중한 부분이라는 것, 또한 인간은 기억과 떼려고 해도 뗄 수 없는 관계에 있다는 것을 말하고 있다

구약 히브리인에게 있어서 기억, 곧 '과거를 회상한다는 것은 그 회상이 현실로 부각되어 현실을 지배하는 것'을 의미했다. 그렇기 때문에 건설적인 기억은 말할 수 없이 소중했다. 건설적 기억은 영적 생명력과 기쁨이 재창조되는 수단이요, 신앙을 소생시키는 수단이요, 더 나아가서 경건행위, 즉 하나님을 만나는 자리였다.

성 어거스틴에게 있어서 '기억의 힘은 곧 삶의 힘'이었고, '하나님의 계시를 담는 그릇'이었다:

기억의 힘은 위대합니다, 하나님.
그것이 무엇인지는 몰라도
두려운 것, 깊고도 무한히 다양한 것입니다.
더욱이 그것이야말로 마음이며,
그것이야말로 나 자신입니다.
그러면 하나님, 나는 도대체 누구입니까?
나는 어떠한 본성의 것입니까?
그것은 복잡하고 다양하고 참으로 한량없는 생명입니다.

당신은 나의 기억 속에 머무르며

당신을 상기하고 기뻐할 때

거기에서 당신을 발견합니다.

그리스도인이 하나님을 기억할 때, 아니 기억 속에서 하나님을 만날 때, 그 기억 속의 하나님은 삶의 힘과 용기로 우리의 삶을 새롭게 하신다.

2. 과거에 지배받지 말라

이처럼 과거를 기억하는 일은 소중한 것인데, 왜 본문은 옛적 일을 기억하지 말라는 것인가? 모든 과거를 송두리째 잊어버리라는 말인가?

여기서 말하는 '옛적 일'은 과거의 죄, 실패, 고통, 그리고 미처 이루어내지 못한 아쉬운 일이므로 이것에 결박되지 말라는 뜻이다. 지나간 과거를 후회하지 말라는 것이다. 사마리아 수가성 여인처럼(요 4장) 과거에 지배받는 삶을 살지 말라는 것이다. 과거는 시간 속에 파묻혀버렸으므로 우리의 존재와는 무관한 것이기 때문이다.

3. 신자가 기억(amanesis)해야 할 그리스도의 십자가와 부활

이스라엘은 출애굽 사건을 비롯한 하나님의 구원행동을 기억해야 했다. 그리고 자손대대로 전해야 했다. 오늘 우리가 기억해야 할 것은 예수 그리스도의 십자가와 부활이다. 특히 성찬에서 예수 그리스도의 십자가와 부활을 기억(anamnesis)하는 것은 '그 사건의 현재화에 참여하는 것'이다.

바울은 디모데후서 2장 8절에서, 죽은 자 가운데서 부활하신 그리스도를 기억하라고 권면한다. 그리스도는 우리 죄를 지시고 십자가에서 우리 대신 (위하여) 죽임을 당하셨다(고전 15:3-4). 공자는 죽을 때 "태산이 무너지는 것 같구나."라고 했고, 석가는 "모든 사람이 다 가는 길인데…", 소크라테스는 "닭 먹은 외상값 갚아 달라.", 톨스토이는 "진리는 사랑스럽구나.", 칸트는 "좋다…", 괴테는 "좀 더 빛을…" 그리고 장충동족발집 할머니는 "돼지고기는 얇게 썰어라."고 마지막 말을 남겼지만, 예수 그리스도는 십자가에서 숨을 거두실 때, "다 이루었다"(The debt is paid)라고 선언하셨다. 그분은 우리 죄 값을 다 지불하신 것이다!

4. 옛것이 죽어야

얼마 전에 KBS 다큐멘터리 〈생로병사의 신비〉가 방영되었다. 인간의 세포가 증식을 통해 성장할 때마다 DNA 꼬리 끝이 잘려나간다고 한다. 즉 DNA는 자기희생을 통해 생명을 키워나간다는 것이다. 낡은 세포는 죽고 새로운 세포가 이것을 먹어치우고, 깨끗이 청소하며 몸의 건강상태를 유지한다는 것이다.

그러나 더 이상 세포가 성장하지 않을 때, 비로소 인간 몸 안에서 '죽음의 메카니즘'이 가동된다. 일정한 기간이 지나서도 죽지 않으려는 세포, 죽음을 통해 새로운 출생을 이루지 않으려는 세포는 결국 암세포가 되어 몸도 죽이고 자신도 죽이는 것이다.

우리의 과거, 옛 사람은 죽어야 한다. 그래야 새것, 새사람이 탄생된다. 예수 그리스도 안에서 새 피조물(고후 5:17)은 옛것의 연장(延長)이나 개선(改善)이 아니다. 과거, 옛사람이 죽어야 새것, 새사람이 탄생된다.

5. 희망의 미래이신 하나님

오늘 본문의 제2이사야는 역사적 포로기에 처해있는 이스라엘 백성뿐만 아니라 어두운 과거의 기억 속에 갇혀 있는 희망을 잃은 하나님의 백성들을 향해 희망의 도전장을 보내고 있다. 그 도전장은 "야훼 하나님이 새로운 일을 행하실 것이다"라는 것이다.

하나님은 우리의 희망의 미래이시다. 그러므로 우리는 과거의 구석진 어두운 곳에서 발걸음을 떼어 밝은 미래를 향해 발걸음을 옮겨야 한다. 살아계신 역사의 주인이신 하나님(사 64:5)이 우리 믿음의 발걸음을 지켜주실 것이다.

* 새사람이 되기를 진정 원하는가?

17 찬송생활의 권능

(시 22:3, 26, 71:14, 히 13:15)

이스라엘의 찬송 중에 계시는 주여 주는 거룩하시니이다(시 22:3)

여호와를 찾는 자는 그를 찬송할 것이라(시 22:26)

나는 항상 소망을 품고 주를 더욱더욱 찬송하리이다(시 71:14)

그러므로 우리는 예수로 말미암아 항상 찬송의 제사를 하나님께 드리자 이는 그 이름을 증언하는 입술의 열매니라(히 13:15)

한 프린스턴대학 교수는 예배 찬송 중 입을 다물곤 했었다. 그런데 그의 꿈에서 있었던 일이다. 천국 문 앞에서 노크를 했을 때, 안에서 "누구요?"라는 질문과 함께 그의 천국입성은 거절되었다. "당신은 신학공부해서 신학은 잘 했는데 찬송을 잘 했다는 기록은 없소. 우리 천국에는 신학 잘 하는 사람은 필요 없소. 그러니 가서 찬송을 배워오시오!" 꿈에서 깨어난 그는 교회로 달려가서 하나님 앞에 겸손히 엎드렸다. 그리고 난 후 그는 예배 때 찬송을 열심히 부르게 되었다.

찬송은 구원의 열매요 표지이다. 하나님의 구원의 은혜를 받고 그 은혜를 감사하는 자의 입에서 찬송이 나오지 않는다는 것은 있을 수 없는 일이다.

스펄전은 "하나님의 자비로 인해 우리가 하나님을 찬양하면 그 자비를 연장하는 것이고, 불행을 인해 하나님을 찬양하면 그 불행을 끝내는 것이다."라고 했고, 웨슬레는 "찬양은 더 큰 은혜로 나아가는 문을 열어준다."고 했다.

1. 창조의 목적

하나님이 우리를 창조하신 목적은 하나님을 찬양하는 것이다:

> "이 백성은 내가 나를 위하여 지었나니 나를 찬송하게 하려 함이니라"(사 43:21)

그런데 여기서 "나의 찬송"이란 무엇인가?

학자들의 견해는 다양하다. 하나님이 지정해 주신 찬양, 즉 시편가(Song of Psalms)라고 해석하는 자들이 있는가 하면, 성부, 성자, 성령이란 말과 감사, 찬양이란 말이 들어 있는 복음적인 색채가 들어있는 찬송이라고 해석하는 자들도 있다. 어쨌든, 우리는 감사함으로 그 문 - 하나님의 임재의 문 - 에 들어가며, 찬양으로 궁정 - 하나님의 임재 안에 머무는 감사와 찬양 - 이 넘치는 삶이 되어야 한다(시 100:4). 감사와 찬송은 그 어떤 제물보다 하나님이 기쁘시게 받으시는 제물이다(시 69:30-31)

다른 한편, 극히 아름다운 창조와 구원의 일을 하신 하나님을 찬송하는

것을 통해 세계에 알리는 것이 성도의 사명이다:

> "여호와를 찬송할 것은 극히 아름다운 일을 하셨음이니 이를 온 땅에 알 게 할지어다"(사 12:5)

2. 우상에게 찬송을 줄 수 없는 성도

> "나는 여호와이니 이는 내 이름이라. 나는 내 영광을 다른 자에게, 내 찬 송을 우상에게 주지 아니하리라"(사 42:8)

찬송 혹은 찬양의 대상은 오직 하나님이시다. 만일 성도가 다른 우상 앞 에서 우상에게 바치는 찬송을 하지 않는다 하더라도, 세속적이고 퇴폐적이 고 음란성이 내포된 노래라든가, 비관적이며 비 건설적인 세상 노래나 유행 가를 부른다면 이는 세속 문화 배후에서 인간을 조종하는 마귀를 찬양하 는 것이나 다름없다. 관광버스 안에서 엉덩이를 마구 흔들며 고성방가 하 듯이 세속 유행가를 고성으로 불러대는 작금의 신자들의 모습을 보시면 하 나님은 얼마나 슬퍼하실까? 예배의 찬양 시간에는 입을 다물고 있거나 무 성의하게 노래(?)하면서 교회 친교 행사 일환으로 나들이하면서 대절한 관 광버스 안에서는 세속 음악을 틀어놓고 발광하듯이 몸을 비틀며 목이 쇠라 노래하는 성도의 모습을 하나님은 기뻐하실까?

하나님께 드리는 찬송은 우리 영혼을 소성시키지만, 세속 노래는 감정을 더욱 우울하고 어둡게 하며 더욱 비관적이며 염세적이게 한다. 찬송은 하늘 의 피를 수혈하게 해주고, '근심을 대신하는 옷'을 우리에게 입혀주지만(사 61:3), 세상 노래는 영혼을 메마르게 한다.

3. 찬양의 능력

찬양은 '적을 대항하는 주 무기(main arms)'다.

역대하 20장에 보면, 모압과 암몬과 마온 연합군이 이스라엘의 왕 여호사밧('하나님을 찬양하다')을 치러왔다. 그야말로 사면초가요 불가항력적이었다. 큰 위기의 순간에 여호사밧과 백성은 금식기도 했고(3절), "오직 주만 바라보았다"(12절). 그리고 찬송하는 자들을 택하여 거룩한 옷을 입히고 여호와 하나님께 찬양하게 했다(21절). 찬양이 시작되자마자 여호사밧을 치러 온 연합군은 패하기 시작했다. 여호사밧과 백성은 전리품을 취하는 데 삼일이나 걸렸다(25절). 이후 하나님은 그 나라를 태평하게 하시고 그들에게 평강을 주셨다(30절).

다윗이 수금을 타면서 찬양할 때 사울에게 붙었던 악귀가 도망했고(삼상 16:23), 바울과 실라가 빌립보 감옥에서 찬양할 때 그들을 결박한 쇠사슬이 풀어지고 옥문이 열리는 기적이 나타났다(행 16:16-34):

> "한밤중에 바울과 실라가 기도하고 하나님을 찬송하매 … 갑자기 큰 지진이 나서 옥터가 움직이고 문이 곧 다 열리며 모든 사람의 매인 것이 다 벗어진지라"(행 16:25-26)

4. 땅의 수확을 결정하는 찬양

> "하나님이여, 민족들이 주를 찬송하게 하시며 모든 민족으로 주를 찬송하게 하소서. 땅이 그의 소산을 내어 주었으니 하나님 곧 우리 하나님이 우리에게 복을 주시리로다"(시 67:5-6)

땅의 소산(복)은 찬송의 결과다.

5. 하나님이 오시는 대로(大路)를 여는 찬송

"하나님께 노래하며 그의 이름을 찬양하라 하늘을 타고 광야에 행하시
던 이를 위하여 대로를 수축하라 그의 이름은 여호와이시니 그의 앞에
서 뛰놀지어다"(시 68:4)

찬송은 하나님이 복을 가져오시는 대로를 여는 것이다.

어떤 신자가 꿈에 천국에 갔다. 천사장의 안내로 큰 방에 들어가니 크고
작은 보따리들로 꽉 차 있었다. "저게 다 무엇입니까?" 하고 물으니, 땅에
사는 신자들을 위해 하나님이 준비하신 복보따리들인데, 찬양을 하지 않아
서 아직 찾아가지 못한 것들이라고 대답했다는 것이다.

* 찬송생활을 하고 있는가?

18 그래도 이루어주기를 구하라

(겔 36:37)

주 여호와께서 이같이 말씀하셨느니라 그래도 이스라엘 족속이 내게 구하여야 할지라(겔 36:37)

1971년 8월 23일 새벽 6시 10분, 부대 내 휴게소에 도착한 양동수 하사가 군복 윗도리를 입으려는 순간 콩 볶는 듯한 총소리가 들려왔고, 휴게실 위쪽 유리 창문이 일시에 깨지며 유리 파편이 쏟아져 내렸다. 양 하사는 문득 북한군이 쳐들어 온 것으로 판단했다.

양 하사는 내무반에 두고 온 총기와 실탄을 챙기기 위해 휴게실 문밖으로 뛰어가는데 뭔가 낌새가 이상했다. 누군가가 그를 노려보고 있다는 직감이 들었다. 50m 왼쪽 측방에서 실미도 훈련병이 쪼그려 쏴 자세로 자신을 조준하고 있었다. "어? 왜 나를 겨누고 있지?" 그렇게 생각하는 순간 총알이 날아왔다. 목에는 불덩이 같은 것이 스치는 듯 했다. 왼쪽 목에서 피가 분수처럼 솟구치며 흐르기 시작했다. "맞았구나." 그때에야 비로소 사태의 정황을 정확하게 파악할 수 있었다. 실미도 훈련병이 반란을 일으킨 것이었다.

양 하사는 피가 솟구치는 것을 보면서 순간 정신을 잃었다. 얼마쯤 지났을까? 그가 엎드린 자리에는 물을 쏟은 것처럼 피가 번져 있었다. 여기저기서 총소리와 비명이 들려왔다. 그의 눈앞에서 도망가다가 쓰러져 죽는 동료들의 모습이 눈에 들어왔다.

당시 실미도 옆에는 무의도라는 섬이 있었다. 무의도는 큰 섬이었다. 주민이 2천명 이상 살고 있었다. 썰물 때면 실미도와 무의도 사이의 물이 전부빠진다. 그날 마침 썰물 때여서 무의도와 실미도 사이는 걸어서 건널 수 있었다. 그래서 그의 동료들은 죽을힘을 다해서 무의도를 향해 뛰었다. 그러나 소용이 없었다. 실미도 훈련병들은 특등 사수였다. 날아가는 새도 떨어뜨릴 만큼 잘 훈련된 병사들이었다. "저기 한 놈 간다. 쏴라." "탕 탕 탕 탕" 이렇게 동료들은 일격에 쓰러졌다.

이 짧은 순간 그는 한 가지만 생각했다. "무의도 쪽으로 가면 십중팔구 죽는다. 무의도 반대편으로 가자." 그는 바닥에 떨어진 군모를 뒤집어쓰고 무의도 반대편 바다 쪽을 향해 뛰었다. 먼 바다로 나가 떠 있을 요량이었다. 얼마 쯤 뛰다가 해안에 있는 큰 바위에 기대어 잠깐 쉬었다. 가만히 바닷가의 물결을 바라보다가 고개를 돌려 총소리 나는 쪽을 바라보았다. 멀리 왼쪽에서 앞에 총 자세로 약간 고개를 숙인 채 다가오는 훈련병의 모습이 보였다. 양 하사가 흘린 핏자국을 따라서 정확하게 다가오고 있었다. 양 하사는 "이제 죽었구나!" 하는 절망감이 들었다. 그 훈련병은 기민한 동작으로 양 하사의 목숨을 조여 오고 있었다. 남은 시간은 2분도 채 안 되었다.

그런데 문득 그 짧은 시간에 양 하사에게 다니엘의 기도가 떠올랐다. 사자굴과 풀무불에서 기적적으로 구원받은 다니엘과 세 친구의 기적이 떠올랐다. '사자의 입을 막고, 극렬히 타는 풀무불도 막아주신 하나님', 그 하나님의 능력이 양 하사의 가슴 속 깊이 터진 샘물처럼 떠올랐다. "주님, 제가 훈련병의 눈에 보이지 않으면 살 수 있습니다. 사자의 입을 막고 풀무불을 막아주신 주님, 저 훈련병의 눈을 가려 주십시오. 그러면 제가 삽니다."

절대절명의 시간이었다. 훈련병은 점점 가까워질수록 조심스레 발길을 옮겼다. 양 하사가 흘린 피를 보면서 서서히 다가왔다. 양 하사는 죽음의 공포 때문에 그를 쳐다볼 수 없었다. 그래서 눈을 감았다. "하나님, 저 훈련병의 눈을 가려 제가 안 보이게 해 주세요. 제가 안 보이면 삽니다. 다니엘의 기적을 믿습니다."

2-3초간 시간이 정지하는 듯 했다. 정적을 깨며 발자국 소리가 다시 들리기 시작했다. 제 자리에서 왔다 갔다 하는 소리였다. "죽으면 죽으리라"는 심정으로 눈을 떠보았다. 그런데 놀랍게도 훈련병의 등이 보였다. 그는 서서히 양 하사를 뒤로하고 해안가로 난 길을 따라 멀리 사라졌다. 그때 하나님께서 양 하사를 보지 못하도록 훈련병의 눈을 가려주신 것이었다.

그리고 이틀 후 양동수 하사는 구사일생으로 살아나 병원에서 어머니를 만나 어머니의 이야기를 듣고 나서는 소스라치고 말았다. 양 하사가 실미도에서 생과 사의 갈림길에 있을 그때 어머니는 새벽 제단에서 "아들을 살려 달라"고 하는 눈물의 기도를 드리고 있었기 때문이었다. 양 하사가 살아난 것은 어머니의 눈물의 기도 덕분이었다.

새벽 기도를 늘 다니시던 어머니는 그날 새벽기도 훨씬 전에 꿈을 꾸었는데, 꿈에서 양 하사가 군복을 입은 채 피투성이가 되어 "엄마, 살려 주세요. 엄마 살려 주세요." 하며 매달리더란다. 새벽 3시경이었는데, 잠이 오지 않고 불길하여 아현성결교회로 곧장 달려가서 기도를 하기 시작했다는 것이다. 어머니의 기도 시간은 흘린 핏자국을 보고 쫓아온 훈련병과 사투를 벌이며 '다니엘'의 기도를 하던 바로 그 시간이었다. 어머니의 기도가 아니었던들, 그 날 양 하사는 죽었을지도 모른다.

얼마간의 시간이 흘러, 헬기 소리가 요란하게 울렸고 양 하사는 구조되어 공군 항공 의료원으로 후송되었다. 원장이 와서 부상을 설명해 주었다. "총알이 정확하게 뒷목 중앙에 명중했네. 그런데 놀랍게도 총알이 휘었어. 참 신기한 일이야. 뒷목을 관통한 총알이 척추신경과 대정맥, 대동맥 혈관을 하나도 건드리지 않고 휘었어. 내가 지금까지 총알이 휘는 경우는 본 일이 없어. 총알은 신기하게 생명에 전혀 지장 없는 모세혈관과 근육 사이만 관통하고 나왔네. 만일 총알이 휘지 않았더라면 자네는 즉사했을 거야. 자넨 정말 하나님이 살렸네."

양동수는 후에 장로가 되어 목회하는 마음으로 평생 살아갈 것을 결심했고, '넓은 전도 어장'인 학교를 향해 나아가 미술교사의 삶을 살게 되면서 하나님의 복음을 힘차게 증언하고 있다

우리 교단의 원로목사 중의 한 분인 김용은 목사님 가족은 6.25때 기적적인 하나님의 도우심으로 살아났다고 한다. 피난 갈 사이도 없어 식구들이 방안에 모여 앉아있는데, 북괴군들이 따발총을 가지고 방안으로 밀쳐 들어왔다. 바로 그때 하나님께서 북괴군들의 눈을 멀게 하셨다. 북괴군들은 "아무도 없네!" 하면서 황급히 밖으로 뛰쳐나갔다는 것이다. 목사님뿐만 아니라 특히 사모님은 불철주야 하나님께 기도하는 여종이었다.

1. 하나님은 모든 것을 아시고 우리의 필요를 다 채우실 수 있지만, 그래도 우리가 구하기를 원하신다. 그렇게 하시는 이유는 인격적인 교제를 원하시기 때문이다.

어머니의 간절한 기도가 없었어도 양 하사는 실미도에서 살아날 수 있었을까? 그렇지 않았을 것이다. 만일 절대 절명의 바로 그 순간, 어머니의 간절한 기도가 없었던들, 양 하사는 여느 병사들과 함께 실미도에서 영원히 잠들었을 것이다. 아들을 위한 몸부림치는 애절한 기도가 훈련병의 눈을 멀게 한 것이다. 하나님은 양 하사 어머니의 간절한 기도를 들어주신 것이었다. 할렐루야!

우리가 기도할 때, 흔히 "하나님이 다 아시니까요. 구하지 않은 것까지 다 이루어 주시옵소서. 혹은 이루어주실 것을 믿습니다."라고 기도하는 경우가 허다한데, 하나님은 구하지 않은 것을 이루어주시지 않는다. "구하라, 그리하면 얻을 것이요"(마 7:7)라고 말씀하시지 않았는가? 구체적으로 구하여야 한다. 그것은 '하나님께 대한 인격적인 신뢰'다.

맹인 바디매오가 예수님께 달려왔다. 예수님은 "네게 무엇을 하여 주기를 원하느냐"고 물으셨다. 지금 주님 앞에 넘어질듯 하면서 힘겹게 달려온 맹인이 눈을 떠서 보기를 원한다는 것을 누구라도 즉시 알 수 있었겠지만, 예수님은 "무엇을 하여 주기를 원하느냐"고 물으셨다. 예수님은 구체적인 필요를 들추어냄으로써 그로 인해 인격적인 친밀감을 나누기를 원하셨던 것이다(막 10:46이하).

2. 영적인 혼동 속에 좌초한 하나님의 백성들은 구체적인 하나님의 음성이 필요했다. 하나님의 음성을 듣기 위해 하나님의 백성들은 구체적으로 기도해야 했다.

포로생활을 하는 하나님의 백성들의 영적인 삶은 피폐하였다. "왜 살고 있는가?" 하는 질문을 던져야 하는 지금 형편도 형편이려니와, "무엇을 위해 살아야 하는가?" 그리고 "어떻게 살아야 하는가?"라는 앞날에 대한 비전과 소망은 전무(全無)했다.

이럴 때 더욱 기도해야 하지 않는가? 기도를 하더라도 구체적으로 해야 하지 않는가? 하나님의 구체적인 음성을 듣도록 구체적으로 구해야 하지 않는가? 막연하게 '하나님께서 인도하시겠지…' '하나님께서 도와주시겠지…' 하는 '요행식의 믿음'은 하나님의 음성과 도움을 얻을 수 없다. 그것은 하나님을 기계적으로 우리 삶에 개입하는 비인격적인 실체로 깎아내리는 것이다.

오늘 우리의 문제는 무엇인가? 구체적인 믿음으로 하나님 앞에 나아가야 한다. 구체적으로 기도해야 한다.

3. 기도제목을 직설하도록 원하시는 예수

종려나무 성읍 여리고에 예수님과 제자들이 이르렀을 때, 맹인 바디매오는 결사적으로 주님께로 달려와서 부르짖었다: "예수여, 나를 불쌍히 여기소서!" 예수님은 바디매오에게 물으셨다: "네게 무엇을 하여 주기를 원하느냐?"(막 10:46-52). 모든 것을 훤히 꿰뚫어보시고 아시는 주님께서 지금 자신 앞에 달려나온 사람이 맹인이란 것, 그리고 그가 왜 달려왔는지, 그가 무엇을 갈구하는지, 다 아신다. 그럼에도 예수님은 그에게 무엇을 바라는지를 물으신 것은 바디매오가 믿음으로 기도제목을 직설하도록, 주님을 인격적으로 신뢰하는지를 탐색하신 것이다.

여호수아의 기도는 해와 달을 멈추게 했지만(수 10:12), 바디매오의 기도는 창조주의 발길을 멈추게 했다!

4. 구하는 자는 받을 것이다

주님은 종말에 기도가 사라질 것을 경고하셨다(눅 18:8). 요즈음 수많은 신자들이 "믿는다 믿는다" 하면서도 기도는 하지 않는다. 꼭 기도하지 않아도 삶이 그럭저럭 굴러가기 때문인가? 기도하지 않는 것은 비록 말은 하지 않아도 무의식적으로는 "하나님 없이도 나 홀로 잘 살 수 있다.", "하나님 도움 없이도 모든 것을 잘해낼 수 있다."는 영적 자만이자 자기 우상화 혹은 자기숭배다.

5. 기도의 본을 보여주신 예수

예수님은 하나님의 아들이지만, 세상에 보내신 아버지의 뜻을 온전히 이루시기 위해 항상 하나님 앞에 무릎을 꿇으셨다(마 4:1-2, 14:23, 26:36-39, 막 1:35, 14:32-36, 눅 9:28, 22:39-45). 최후 십자가에서 돌아가실 때에도 하늘 아버지께 기도하셨다: "아버지여, 내 영혼을 아버지의 손에 맡기나이다." 잘 알려진 바와 같이 이 기도는 경건한 유대인 어머니가 아이들을 잠재울 때 하도록 가르치는 기도다.

기도의 본을 보여주신 주님은 우리에게 항상 기도하며 깨어있으라고 당부하셨고(눅 21:36), 사도 바울도 우리에게 "쉬지 말고 기도하라"(살전 5:17)고 당부했다.

쉬지 않는 기도는 예수 기도(Jesus preyer)라는 기독교 전통이 있다.

"주 예수여, 죄인인 나를 불쌍히 여기소서!"(Lord, have mercy on me, the sinner).

하루 24시간 끊임없이 하는 기도다. 이 기도 안에는 사복음이 다 들어 있다. 러시아에서 전래된 이 기도는 오늘날 이 기도를 드리는 수많은 신자들의 영성과 삶을 변화시키고 있다.

* 믿음을 갖고서 구하고 있는가?

19 애국지인 에스더

(에 4:13-16)

모르드개가 그를 시켜 에스더에게 회답하되 너는 왕궁에 있으니 모든
유다인 중에 홀로 목숨을 건지리라 생각하지 말라. 이 때에 네가 만일
잠잠하여 말이 없으면 유다인은 다른 데로 말미암아 놓임과 구원을 얻
으려니와 너와 네 아버지 집은 멸망하리라. 네가 왕후의 자리를 얻은 것
이 이 때를 위함이 아닌지 누가 알겠느냐 하니, 에스더가 모르드개에게
회답하여 이르되 당신은 가서 수산에 있는 유다인을 다 모으고 나를 위
하여 금식하되 밤낮 삼 일을 먹지도 말고 마시지도 마소서 나도 나의 시
녀와 더불어 이렇게 금식한 후에 규례를 어기고 왕에게 나아가리니 죽
으면 죽으리이다 하니라(에 4:13-16)

한 인간으로 태어나 역사에 어떤 위대한 업적이나 공적을 남기고 가는 일
은 귀하고 복된 일이다. 저번 주에는 인기 배우 이은주의 어이없는 죽음으
로 한국 사회가 비통에 잠겼었다. 꽃다운 25세의 처녀가 이유도 밝혀지지
않은 죽음의 길을 외롭게 간 것을 모두 마음 아파했다.

어느 목사님이 너무나 속이 상해서 한강으로 가야겠다고 했다. 사모님은 나도 같이 가야겠다고 했다. 목사님이, "당신이 왜 따라 오냐?" 하니, 사모님은 "믿음이 없어서 당신이 빠져 죽기나 하겠어요? 내가 밀어주어야 빠져 죽지!" 하더란다.

역사상 정치 발전과 경제 부흥을 일으켜 사람들의 삶의 질을 향상시키는 일, 과학 기술의 발달과 진보로 사람들의 삶을 한결 편리하게 해 주는 일, 의학의 혁신을 일으켜 사람들의 질병을 고쳐주고 수명을 연장해 주는 일 등 삶의 여러 분야에 위대한 업적을 남기고 간 위인들을 우리는 지금도 존경하고 있다.

그러나 그 무엇보다도 우리의 영적 삶에 도움을 남기고 간 사람들이 더 위대해 보인다. 우리는 그들을 더욱 존경한다. 본문의 에스더가 그 한 사람이다. '하늘에 빛나는 별'이란 뜻의 '에스더'는 페르시아 이름이며, 그녀의 히브리어 본명 '하닷사'는 '은매화(myrtle)'라는 뜻이다.

베냐민 지파에 속한 모르드개의 사촌 에스더 역시 베냐민 지파 사람인데, 그녀의 양친이 어릴 적에 사망하여(아비하일, 에 2:15, 9:29), 모르드개가 딸처럼 양육했다. 이들은 포로생활을 하다가 1차 귀환 때 고국으로 귀환하지 않고 페르시아 왕 아하수에로(크세르크세스1세) 왕 치하 때에 페르시아에 남아 있었다. 비록 귀환을 하지는 않았지만, 하나님의 보호 아래 살았다. 그러던 중 하만에 의해 모르드개와 에스더뿐 아니라 남아있는 모든 유다인들이 죽음의 위협을 받는 심각한 위기에 봉착했다.

1. 택하신 선민과 함께하시고 보호하시는 하나님

에스더가 아하수에로 왕의 은총을 입어 왕후에 간택된 것은 하나님의 은총이었다. 왕명을 따르지 않던 왕후 와스디가 폐비된 후, 각도에서 선발된 여인들이 1년 간 몸과 마음을 단장한 후 왕과 하룻밤을 자고나면, 후궁으로 가서 왕이 부르지 않는 한 궁에서 외롭게 지내야 했다. 그런데 에스더는 왕의 마음을 사로잡은 나머지 왕후가 되었다. 물론 지금까지 그녀가 유다인이라는 사실을 밝히지 않았다. 모르드개는 대궐문 앞에 앉는 자 곧 페르시아 제국의 사법청의 관직에 앉아 있었다.

이즈음 아각 사람 하만이 페르시아 제국의 제2인자가 되었다. 다른 사람들은 하만 앞에 무릎 꿇고 절을 하는데, 유독 모르드개만은 자신이 유다인임을 내세워 절하지 않아 하만의 미움을 샀다. 그래서 결국 하만은 모르드개를 위시하여 온 유다인을 말살하기로 마음을 먹고 그 계획을 진행했다. 하만은 왕이 조서를 내리도록 음모를 성공시켰다. '부르' 곧 제비를 뽑아 12월 아달월에 진멸하기로 했다. 이제 유다인은 몰살의 위기에 부딪쳤다.

위기 앞에 선 하나님의 흩어진 디아스포라 백성! 모르드개는 에스더로 하여금 왕 앞에 나아가 이 사실을 알려 백성을 구하라고 요청했다(에 4:13-14). 이에 왕후 에스더는 온 백성들과 자신이 삼 일을 금식한 후, "죽으면 죽으리라"(4:16) 하고 왕 앞에 나아가 유다인의 억울한 사정을 말했다. 당시, 왕은 사전에 약속 없이 자신을 찾아와 방해하는 사람은 누구든지 처형했다. 그러나 알현하러 온 사람을 보고 금 규(홀)를 내밀면, 그 사람은 알현이 허락되고 죽음에서 벗어날 수 있었다(5:2). 에스더는 왕이 자기를 한 달 이상 부르지 않았기 때문에 왕이 총애하는지 않는지를 알 수 없었다. 그러나 "죽으면 죽으리라" 하고 믿음과 용기를 가지고 왕 앞으로 나아갔던 것이다.

우리나라가 일본에게 강점당해 나라와 주권을 빼앗겼을 때, 나라와 주권을 찾기 위해 전국에서 열사와 백성들이 분연히 일어났다. 3.1운동 때 시위 집회 1,542회, 동원인원 2백만 3천명, 그로 인해 살해된 수가 7만 5백 9명, 부상자 1만 5천 9백 61명, 검거된 자 46만 9백 48명, 소실된 교회 47개소, 소실된 학교 2곳, 소실된 민가 715호. 이렇듯 엄청난 피해를 입으면서도 우리의 선조들은 잃어버린 나라를 찾기 위해 가만히 앉아 있을 수 없었다.

하나님을 경외하는 자들은 애국지인이 된다. 독립 운동을 하던 조선일보 사장 이상재 선생이 일경에 체포되어 심문을 당했다:

일경: "누가 3.1운동 시켰소?"
이선생: "하나님이 시켰소."
일경: "3.1운동 본부는 어딨소?"
이선생: "하늘에 있소이다."

독립운동가 33인 중 16명이 기독교인이었던 사실을 우리는 익히 알고 있다. 이 사실은 무엇을 말해주는가? 참 기독교인은 애국자가 된다는 것이다. 존 낙스는 "주여, 스코틀랜드를 내게 주십시오. 아니면 죽음을 주십시오."라고 하나님께 부르짖었다. 그는 나라와 민족의 복음화를 위해 생명을 바쳤다. 태극기 높이 들고 "대한독립만세!"를 외치다가 일경에 의해 순직한 유관순도 독실한 기독교인이었다.

2. 당신의 백성 유다민족을 구원하신 하나님

유다인을 진멸하려던 악랄하고 교활한 하만과 그의 아들들은 모르드개를 달려던 높은 장대 위에 몸이 꿰어 달렸다. 그것도 자기가 제비뽑아 유다인을 진멸하려던 날에 말이다. 그의 가문의 재산은 몰수당했다. 죽음을 무릅쓰고 왕 앞에 나아간 에스더의 믿음과 용기는 민족을 살려내었던 것이다.

8.15광복은 하나님의 구원행위였다. 나라와 민족을 위해 순교한 수많은 믿음의 애국지인의 피를 하나님은 헛되지 않게 하신 것이었다.

3. 지금 우리는 어떻게 나라와 민족을 사랑하겠는가?

1) 위에 있는 권세자들을 위해 기도하는 것이다(롬 13:1-7).

권세는 하나님께로부터 주어지는 것이므로, 권세자들을 '하나님의 사자'라고 성경은 말한다. 그러므로 비판하고 비난하기보다는, 권세자들이 하나님께서 주신 권세를 올바르게 사용하도록, 그리고 백성을 잘 다스릴 수 있도록 하나님께서 그들에게 지혜를 주시도록 기도할 책임이 우리에게 있다. 성경은 그렇게 하라고 권면한다. 우리는 정부가 북핵문제를 위시하여 경제, 외교문제 등 산적한 문제들을 잘 해결하여 나라를 안정시킬 수 있도록 기도해야 한다. 엘리야와 엘리사의 기도의 힘은 국가의 온 군대의 힘보다 크고 강했다. 모든 성도들의 기도의 힘을 모으면 모든 위기를 극복할 수 있다.

2) 정직을 삶을 모토와 기반으로 삼는 일이다.

정직은 신용을 생산하며, 신용은 최대의 국력이다. 우리나라를 신용사회로 만드는 것은 크리스천의 역할과 책임이다. 정직(steadfastness)은 '견고함'만이 아니라, 잘못과 실수 앞에 겸허할 수 있는 진실과 용기를 의미한다. 에드워드 케네디의 '하버드대학 시절의 에피소드'다. 하버드대학 재학 시절 케네디는 컨닝한 일이 있었다. 정적 캔시는 시종일관 이것으로 케네디를 공격하는 무기로 삼았다. 정적 캔시에 대한 답변에서 케네디는, "나는 내가 한 일을 유감으로 생각합니다. 그것은 나의 잘못이었습니다. 변명할 여지가 없습니다."라고 솔직하게 대중 앞에 자백했다. 그래서 ① 컨닝 사실을 인정함으로써 자신에게 인간성을 부여했고, ② 죄를 인정함으로써 동정심을 모았고, ③ 자신의 잘못을 인정함으로써 정직을 드러내었다. 그의 정직은 그를 정치인으로 만드는 데 오히려 크게 기여했던 것이다.

시골에 살던 어떤 분이 처음으로 상경했다. 붐비는 수많은 차와 사람들을 보고, "이렇게도 많은 사람들이 다 무얼 먹고 삽니까?" 하고 물으니, 길 가던 어떤 사람이 "서로 속여 먹고 살지요!" 하더란다.

이래서 나라가 잘되겠는가? 나라가 바로 서야 우리도 바로 서고, 나라가 잘되어야 우리도 잘되는 것이다. 식민지 경험을 통해서도 배운 바지만, 나라가 기울고 황폐화되면 사회, 교회, 가정 그리고 우리 개인 모두의 삶이 피폐해진다. 그러므로 나라가 잘되어야 한다. 그리고 그 길 중의 하나는 정직으로 신용사회와 국가를 만드는 것이다. 자연주의자 '린네우스'는 연구실 위에 "이노쿠이 비비테 누멘 에드 에스트"(Innocui vivite numen ad est: 정직하게 살라. 하나님께서 여기 계시다)라고 써 놓았다고 한다.

영국 격언에, "하루만 행복해지려면 이발소에 가라. 일주일만 행복하려면 결혼하라. 한 달만 행복하려면 차를 사라. 일 년만 행복하려면 집을 사라. 그러나 평생 행복해지려면 정직한 사람이 되라."는 말이 있다. 정직은 나도 너도 그리고 우리 모두를 살리고 행복하게 만드는 애국의 길이다.

3) 근검생활과 저축생활을 하여 국력을 신장하는 데 기여하는 것이다.

우리나라는 사실 아직 샴페인을 터뜨리기에는 이른 나라다. 2003년도만 해도 술값이 11조를 넘었다고 한다. 정부 예산의 20%에 해당하는 규모였다. 거기에다가 봉사료, 술병 60억 개, 종사원 100만에 대한 비용을 합산하면 천문학적인 수치에 달한다. 2003년 이후 오늘날까지 국민 모두가 허비한 술값을 다 합치면 얼마나 되겠는가?

주 5일 근무도 아직 이른 단계다. 한 가정 당 걸머쥐고 있는 빚이 2천만원 이상 되는 국가가 어찌 샴페인을 터뜨릴 수 있는가? 아직은 성장 위주의 경제정책을 유지해야 하는데 분배 위주의 정책을 펼치다보니 아르헨티나의 전철을 밟는 '코르헨티나'가 되었다. 믿지 않는 사람들은 그렇다 치더라도 우리 크리스천들만이라도 나라를 사랑하는 마음으로 근검절약하며 과소비를 지양하는 삶이 필요하다. 저축을 통해 나라가 힘을 기르는 데도 공헌해야 한다.

4. 하나님께서 주신 자연을 잘 보호하고 관리하는 일

난개발로 인하여 삼천리 금수강산 곳곳이 파헤쳐지고, 허물어지고, 오염되어 국토가 몸살을 앓고 있다. 우리 크리스천은 자연은 곧 생명이라는 자연생명 신학을 정립하여 살아야 한다. 자연의 착취와 파괴는 곧 나의 생명의 파괴라는 믿음을 확산시켜 나가야 한다.

* 나라를 사랑하는가?

20 기도의 성곽

(느 4:9)

우리가 우리 하나님께 기도하며 그들로 말미암아 파수꾼을 두어 주야로
방비하는데(느 4:9)

집안이 잘되려면 방망이 소리, 글 읽는 소리, 웃음소리가 나야 하고, 나라
가 잘되려면 기계 돌아가는 소리, 글 읽는 소리, 기도 소리가 들려야 하고,
교회가 부흥하려면 찬송 소리, 성경 읽는 소리, 기도 소리가 들려야 한다고
우리 선조들은 이구동성으로 말했다. "하나님께 낯선 자가 되지 않도록 하
라."는 말 또한 하나님과 친밀함을 구했던 믿음의 선조가 한 말이다.

간혹 기도는 하나님을 섬기는 행위보다는 자신의 이익을 위해 사용될 수
도 있다. 환언하면, 하나님을 '도구로서의 하나님'(deus ex machina) 혹
은 '결함을 메워주는 하나님'(the God of the gaps)을 삼는 것이다. 기도
의 문이 열리자마자 감사와 찬송이 우러나기보다는 "주~시옵소서"가 기도
를 가득 채운다면, 그것은 하나님을 그렇게 대하는 것이 아닐까? 그에 비하
면, 교황 베네딕트 16세의 기도는 참된 기도라고 할 수 있다. 그는 유명해지

자 교황으로 선출되기 전 "하나님 제게 이러시면 안 됩니다. 더 활기차고 강력하게 이 과업을 완수할 수 있는 더 젊고 나은 후보들이 있습니다. 하나님 제가 선출되지 않게 하소서."라고 기도했다고 한다.

때로는 기도가 거래나 흥정이 될 위험이 있다.

표류 당한 두 사람이 구명보트에 몸을 지탱하고 있었다. 사방 어디를 둘러보아도 망망한 바다뿐이었다. 한 사람이 간절한 마음으로 기도했다. "오 하나님, 만약 저를 구해주신다면 제 재산의 절반을 바치겠습니다." 하지만 아무런 희망이 보이질 않았다. 오히려 풍랑만 더 심해질 뿐이었다. "오 하나님, 제발 살려주십시오. 살려주신다면 제 재산의 3분의 2를 하나님께 바치겠습니다." 밤이 지나고 아침이 되어도 구원의 손길은 닿지 않았다. 그는 다시 간절히 기도를 하기 시작했다. "하나님, 제발 저의 이 간절한 기도를 받아주십시오. 제 목숨을 구해주신다면 저의 전 재산을…" 그때 다른 사람이 소리쳤다. "이봐, 거래를 중단해! 저기 섬이 보여!"

바벨론 포로에서 귀환한 에스라와 느헤미야는 종교개혁 인물들이다. 예루살렘 성곽을 세우고 성전을 중건하는 일에 먼저 기도를 앞세우고 후에 인간이 할 수 있는 최선의 노력을 기울였다

1. 부흥의 기초: 회개와 기도

느헤미야는 모든 이방 사람들과 절교하고, 서서 자기의 죄와 조상들의 허물을 자복했다(느 9:2이하). 그리고 그는 '하나님의 선한 손의 도우심'을 받았다(스 7:9, 28, 느 2:18).

1904년 웨일즈 일대에 큰 부흥의 불길이 일어났다. 기도가 선행되었기 때문이다. 이반 로버트라는 광산 노동자와 일단의 청년들이 "부흥을 주옵소서, 아니면 죽음을 주옵소서." 하고 회개운동을 하며 기도했다. 술집, 당구장, 극장, 경마장이 비고, 유치장이 비고, 경찰들은 할 일이 없어졌다. 조선소의 직공들이 훔쳐간 물건들을 되돌려 갖고 와서 창고를 지었다. 증오와 불만에 찬 광부들이 석탄차를 끄는 당나귀를 회초리로 치는 일이 없어지고, 오히려 찬송을 부르며 당나귀를 끌어안고 "나의 형제여, 나의 자매여!" 하고 사랑했다고 한다.

2. 사탄의 방해를 이기게 하시고 형통케 하시는 하나님의 손

예루살렘 성곽을 중건하는 일에 내적 외적 방해가 찾아왔다. 내적인 방해는 자녀와 양식의 문제, 빚 문제였고(느 5:1이하), 외적인 방해는 산발랏과 도비야의 노골적이고 전략적인 방해 공작이었다. 방해의 범위는 넓어졌다. 그러나 느헤미야는 "하나님이 형통케 하신다. 사람을 두려워하지 말고 하나님을 두려워하라!"고 백성들을 권면했다(2:20).

느헤미야는 서로 간에 이자를 받지 말게 하고 100분의 1을 돌려보내게 하고, 자신은 12년 간 총독의 녹을 받지 않음으로써 내적 문제를 해결하였고, 파수꾼을 두어 방비함으로써 외적 문제를 해결했다. 그리고 그는 목표에 집중하여 성벽 공사에 힘을 다했다. 그리고 목표를 달성했다(12:27이하).

3. 하나님을 기뻐하는 것이 힘

느헤미야는 '하나님을 기뻐하는 것이 힘(strength)'임을 천명했다. 성곽

중건도 중요하고 성전 중건도 중요한 일이지만, 그 성전의 주인이신 하나님을 기뻐하지 않는다면 성곽이나 성전이 무슨 의미가 있겠는가? 아무리 웅장하고 아름다운 집이라 할지라도 주인 없는 집은 쓸모가 없다.

시편 기자는 우리가 하나님을 기뻐하면 하나님은 우리의 길을 형통케 하신다고 했다(시 37:3이하). 여러 가지 역본을 보면, 하나님을 기뻐하는 것을 "find your joy in Yahweh"(너의 기쁨을 야훼에게서 찾으라), "make Yahweh your resource"(야훼를 너의 자원으로 삼으라)로 번역하고 있다.

우리는 무엇을 성취하거나 돈을 벌거나 명예와 지위를 얻으면 기뻐하지만, 잃으면 쉽게 낙심하고 비탄에 빠진다. "항상 기뻐하는 것"이 우리를 향하신 하나님의 뜻이지만(살전 5:16), 우리는 외적 환경이나 조건에 지배를 받는다. 살아계신 하나님이 우리의 자원이라면, 무엇이 더 필요하랴! 결코 부족함이 없다(We shall not want!, 시 23편)

하나님을 기뻐했던 에스라와 느헤미야는 그들의 자원되시는 하나님의 선한 손의 도우심을 받아 성벽 재건, 성전 보수 그리고 종교개혁의 위업을 달성했던 것이다.

* 기도의 성곽을 세우고 있는가?

21 벧엘로 올라가라

(창 35:1-7)

하나님이 야곱에게 이르시되 일어나 벧엘로 올라가서 거기 거주하며 네가 네 형 에서의 낯을 피하여 도망하던 때에 네게 나타났던 하나님께 거기서 제단을 쌓으라 하신지라. 야곱이 이에 자기 집안 사람과 자기와 함께 한 모든 자에게 이르되 너희 중에 있는 이방 신상들을 버리고 자신을 정결하게 하고 너희들의 의복을 바꾸어 입으라. 우리가 일어나 벧엘로 올라가자. 내 환난 날에 내게 응답하시며 내가 가는 길에서 나와 함께 하신 하나님께 내가 거기서 제단을 쌓으려 하노라 하매, 그들이 자기 손에 있는 모든 이방 신상들과 자기 귀에 있는 귀고리들을 야곱에게 주는지라. 야곱이 그것들을 세겜 근처 상수리나무 아래에 묻고, 그들이 떠났으나 하나님이 그 사면 고을들로 크게 두려워하게 하셨으므로 야곱의 아들들을 추격하는 자가 없었더라 … 그가 거기서 제단을 쌓고 그곳을 엘벧엘이라 불렀으니, 이는 그의 형의 낯을 피할 때에 하나님이 거기서 그에게 나타나셨음이더라 (창 35:1-7)

하나님은 한 번 사랑하고 선택하신 자를 결코 포기하지 않으시는 은혜로우시고 '자비하신 하나님(compassionate God)'이시다. 설령 흠이 많고 실수를 저질러도, 때로는 정욕에 치우쳐 하나님을 멀리할 때에도, 하나님은 택하신 자를 끝내 찾아오셔서 새롭게 갱신하시는 분이시다.

그렇게 갱신하기 위해, 하나님은 택하신 자를 제련의 용광로 속에 집어넣으신다. 용광로 속에 들어갔다 나와야 하나님의 목적에 쓰임 받는 순금이 되기 때문이다. 채광한 채광금을 7번 제련하면 98%의 금 '크루소스'(crosus)가 된다. 이것을 섭씨 2천도 이상의 불에서 제련하면 99.3%의 금 '크루시온'(crusion, 벧전 1:7)이 된다. 이것을 다시 3천도 이상의 불에서 제련하면 마침내 100%의 순금 '카다로스'(kadaros)가 된다. 마태복음 5장 8절에서 "마음이 청결한 자는 하나님을 볼 것이라"고 했는데, 이때 사용된 "청결"이 바로 '카다로스'다.

오늘 본문의 야곱은 하나님 앞에서 카다로스가 되어야 했다.

1. 하나님을 멀리하고 자신과 물질에 치우친 야곱

어머니와 짝하여 아버지를 속이고 형 에서의 장자생득권(birthright)을 빼앗은 야곱은 형의 분노를 피하여 외삼촌 라반에게로 도주해야 했다. 광야에서 돌베개하고 잠을 자던 야곱에게 하늘 문이 열렸다. 하늘에서 사다리가 내려오고 천사들이 오르락내리락 했다. 야곱은 돌베개하고 잠자던 곳이 바로 하나님께서 임재하시는 곳임을 깨닫고 그곳을 벧엘이라 불렀다.

야곱은 자신의 인생의 큰 위기의 순간에 자신을 만나주신 벧엘(하나님의 집-하늘의 문이 열린 곳)의 하나님께 약속했다: "가는 길에서 지켜주시고 복을 주시면, 이후 다시 벧엘로 돌아와서 하나님께 제단을 쌓고 십일조를 드리며 섬기겠다고..." 그러나 그는 그 약속을 까마득히 잊어버렸다.

삼촌 라반의 집에서 많은 부를 축적한 야곱은 삼촌 곁을 떠나 귀향길에 오른다. 이 사실을 알게 된 형 에서는 자신이 받아야 할 복을 빼앗아 간 동생에게 복수하기 위해 사병들을 거느리고 야곱을 맞으러 나온다. 다급해진 야곱은 얍복강('쏟아 붓다')에서 하나님의 천사와 씨름한다. 첫째는 형 에서의 분노와 보복의 칼날이 두려운 것이었지만, 둘째는 사람들을 속여서 자기의 목적을 성취하는 '자기 내면의 그림자 인격'(Shadow Personality: trickster)을 의식하게 되었을 것이다. 얍복강은 그에게 변화(transformation)가 이루어지는 반드시 통과해야 할 '영혼의 어둔 밤'(십자가의 성 요한) 혹은 '문지방 경험'(luminal space)이었다. 그는 밤새 하나님 앞에서 자신의 내면의 그림자를 쏟아 부었다. 하나님의 사자는 야곱에게 복을 주셨고, 허벅지 관절이 부러진 야곱은 절어야 했다(이후 그의 부러진 허벅지 관절에서 열 왕이 나오는 복을 받았다).

하나님은 에서로 하여금 동생 야곱에게 복수를 못하게 역사하셨다. 하나님의 개입으로 둘 사이에 극적인 화해가 이뤄진 후, 에서는 세일로 돌아가고 위기를 피한 야곱은 약속의 땅 벧엘로 가지 않고 숙곳으로 향했다. 인간이란 이렇게 간사한 것인가?! 하나님은 더 이상 그의 마음 중심에 계시지 않았다! 야곱은 숙곳('오두막들')으로 가서 자기중심, 물질 중심적인 삶을 살았다: "자기를 위하여 집을 짓고, 그의 가축을 위하여 우릿간을 지었다"(창 33:17). 엘엘로헤이스라엘! 하나님의 이름을 부른 것은 한참 뒤의 일이었다. 즉 하나님을 그의 삶에서 우선순위(priority)에 두지 않았던 것이다! 그래서 불가불 야곱은 용광로 속에 들어가야만 했다. 하나님이 쓰시는 카다로스가 되기 위함이다.

그때나 지금이나 딸은 얼마나 사랑스러운 존재인가? 그런 딸 디나가 하몰의 아들 세겜에게 강간을 당하는 예상치 못한 비극적인 일이 일어났다. 야곱의 아들들은 할례라는 트릭(trick)을 사용하여 세겜의 남자들을 칼로 죽였다. 이제 야곱은 편히 잘 수 없었다. 언제 보복을 당할지 모르는 불안한 나날을 보내게 되었다!

그런 그에게 하나님은 다시 찾아오셔서 말씀하셨다: "벧엘로 올라가서 거기서 제단을 쌓으라!"(창 35:1).

2. 벧엘로 이주하는 야곱

1) 우상을 버리라

야곱의 집안에는 라반의 집에서 훔쳐온 드라빔(가정 수호신)을 위시하여 이방 신상들이 가득 차 있었다. 이 드라빔을 위시하여 집안 사람들이 착용하는 모든 장신구 - 목걸이, 귀걸이, 코걸이, 팔찌 등에는 이방 신의 형상이 새겨져 있었다. 비단 이뿐이겠는가? 이미 야곱의 마음에는 탐욕이란 괴물 우상이 자리하고 있었다(골 3:5). 야곱가(家)는 우상 숭배하는 집으로 변모해 있었다. 그러나 정작 야곱의 영안(靈眼)은 어두워져 있었다!

하나님이 가장 싫어하시는 것은 우상 숭배다. 그래서 하나님은 야곱에게 먼저 우상을 내버리라고 명령하신 것이다. 우리의 삶에서 하나님 아닌 다른 것들 - 그것이 무엇이건 - 이 우선순위를 차지하고 있으면 그것은 과감히 청산해야 할 우상이다!

2) 자신을 정결하게 하라: 내적 변화

야곱은 자신과 그의 집안 사람들을 정결하게 했다. 하나님이 미워하시는 모든 불순물들, 영혼에 아무 도움이 되지 못하는 불순물들을 모아서 상수리나무 아래 파묻었다.

우리가 모조리 모아서 파묻어야 할 세속적인 것들은 무엇일까? 우리는 죽은 신앙, 관습화된 신앙, 형식적인 신앙(faithism)에 매어달리고 있지 않은가? 주의 이름을 부르지만 우리의 행위는 신앙을 부인하고, 성전 뜰만 밟고 돌아가는 마당 신자는 아닌가?

오늘 우리(교회)는 성결로 돌아가야 한다. 말씀으로 돌아가야 한다. 교회성장보다 더 중요한 것은 성결이다. 개인의 축복과 번영, 그리고 성공보다 더 중요한 것은 성결한 하나님의 자녀가 되는 것이다. 그러기 위해 생활 속의 모든 더러운 행위와 생활 습관을 버려야 한다. 영혼을 더럽히는 물건을 미련 없이 모두 내버려야 한다.

3) 의복을 바꾸라: 외적 변화

야곱과 집안 사람들은 이전에 입던 옷을 다 벗어버리고 새 옷으로 갈아입었다. 경험상 새 옷을 입으면 마음가짐이 달라지기도 하지만, 여기서 옷을 갈아입는다는 것은 실제로 옷을 갈아입는 것이기도 하지만, 다른 한편 삶의 태도, 삶의 방식을 바꾸는 것을 의미한다. 삶의 태도와 방식이 바뀌지 않는다면, 새 옷이 무슨 의미가 있겠는가? 거지가 왕자의 옷을 입었다고 해도 거지의 습성을 버리지 못하면 여전히 거지인 것이다.

4) 주변에 두려움을 내리신 하나님: 하나님의 보호

회개한 야곱이 벧엘로 이주할 때, 복수의 기회가 오기만을 학수고대하던 이방 민족들은 얼마나 쾌재를 불렀을까? 야곱가의 이주는 복수의 칼에 피를 묻힐 절호의 찬스였다. 그러나 벧엘로 올라가서 제단을 쌓으라고 명령하신 하나님은 이 상황을 마냥 주시하실 분이 아니다. 야곱의 일행이 안전하게 벧엘로 이주할 수 있도록 주변 민족들에게 두려움을 주셔서 얼씬도 못하게 하셨다. 우리 역시 하나님의 명령에 순종할 때 하나님은 우리를 철저히 보호해주신다.

5) 이스라엘의 이름을 주신 하나님

부끄러운 지난 과거를 회개 청산하고 온전한 예배를 통해 하나님과 관계를 회복했을 때, 하나님은 야곱에게 새 이름을 주셨다. 야곱의 변화와 완성(성결)은 하나님의 집 벧엘에서 이루어졌다.

6) 번성의 복을 주신 하나님

가장 큰 복은 내면의 변화와 완성, 즉 신령한 복(spiritual blessing)이지만, 전능하신 엘샤다이 하나님은 땅의 복도 주신다.

* 숙곳과 벧엘 중 어디에 거주하는가?

22 누가 주인인가?

(마 6:24-34)

한 사람이 두 주인을 섬기지 못할 것이니 혹 이를 미워하고 저를 사랑하거나 혹 이를 중히 여기고 저를 경히 여김이라 너희가 하나님과 재물을 겸하여 섬기지 못하느니라. 그러므로 내가 너희에게 이르노니 목숨을 위하여 무엇을 먹을까 무엇을 마실까 몸을 위하여 무엇을 입을까 염려하지 말라 목숨이 음식보다 중하지 아니하며 몸이 의복보다 중하지 아니하냐. 공중의 새를 보라 심지도 않고 거두지도 않고 창고에 모아들이지도 아니하되 너희 하늘 아버지께서 기르시나니 너희는 이것들보다 귀하지 아니하냐. 너희 중에 누가 염려함으로 그 키를 한 자라도 더할 수 있겠느냐. 또 너희가 어찌 의복을 위하여 염려하느냐 들의 백합화가 어떻게 자라는가 생각하여 보라 수고도 아니하고 길쌈도 아니하느니라. 그러나 내가 너희에게 말하노니 솔로몬의 모든 영광으로도 입은 것이 이 꽃 하나만 같지 못하였느니라. 오늘 있다가 내일 아궁이에 던져지는 들풀도 하나님이 이렇게 입히시거든 하물며 너희일까보냐 믿음이 작은 자들아 그러므로 염려하여 이르기를 무엇을 먹을까 무엇을 마실까 무엇을 입을까 하지 말라. 이는 다 이방인들이 구하는 것이라 너희 하늘 아버지께서 이 모든 것이 너희에게 있어야 할 줄을 아시느니라. 그런즉 너희는 먼저 그의 나라와 그의 의를 구하라 그리하면 이 모든 것을 너희에게 더하시리라. 그러므로 내일 일을 위하여 염려하지 말라 내일 일은 내일이 염려할 것이요 한 날의 괴로움은 그 날로 족하니라(마 6:24-34)

어떤 이는 21세기를 '무기력, 무관심, 무의미'의 3무(無) 시대라고 한다. 그런데 이 모두는 불안(염려)에서 비롯되었다는 것이다. 소유가 늘어나고 생활이 유택해지고 편리해지면 질수록 만족감과 행복을 느껴야 하는데 꼭 그렇지만은 않은 것이 엄연한 현실이며, 그 반대 현실은 인간을 더욱 곤경과 불안으로 몰아간다. 불안은 삶을 무기력하게 만들고, 무기력은 의미 있는 삶에 대해 무관심하게 하고, 결국은 인간을 '삶의 무의성'에 직면하게 한다.

인간은 소유와 무관하게 애초부터 실존적으로 불안한 존재여서 그럴까? 만일 인간이 피할 수 없는 실존적인 불안의 지배를 받는다면, 실로 인생의 주인 노릇을 못하고 있는 것이 아닐까? 인간을 지배하는 주인은 불안이 아닐까? 그렇다면 하루 빨리 진정한 인생의 주인을 찾아야 할 것이다.

인생의 주인을 찾는 데 세 부류의 사람이 있다. 돈을 인생의 주인으로 모시고 섬기는 사람(형이하학적 인간), 하나님과 돈을 동시에 주인으로 섬기는 사람(종교혼합주의적 인간 혹은 회색 인간), 그리고 하나님을 인생의 주인으로 모시는 사람(형이상학적 인간)이다.

첫 번째 사람은 인생에서 돈을 최고 가치로 여기며 돈맛으로 살아간다. 그들에게 돈은 신이다. 머니(money) 머니(money)해도 머니(money)다

(뭐니 뭐니해도 머니다의 언어 유희)라는 신조로 살아간다.

두 번째 부류는 하나님과 돈을 동시에 두 주인으로 섬기는 사람이다. "재산을 팔아 가난한 자에게 주고 나를 따르라"는 예수의 말씀을 듣고서는 되돌아간 청년 같은 사람이다. 이들에게 하나님은 돈을 중식시켜주는 중개인이나 심부름꾼 정도가 된다. 하나님을 '도구로서의 하나님'(deus ex machina)으로 도구화(道具化)한 것이다.

마지막 세 번째 부류의 사람은, 소유의 크기와 유무에 상관없이 하나님을 인생의 주인으로 삼고, 하나님을 기뻐하고 즐거워하며, 있는 것으로 만족하고 감사하며 살아가는 자들이다. 그들은 하나님을 하늘 아버지로 모시고 살아간다. 성경은 그들을 '만나 백성'(Manna people), '케리그마적 실존'(Kerygmatic existence)이라 부른다. 그들은 몇 가지에서 자유를 누린다.

1. 염려로부터의 자유(25-27): "공중의 새를 보라"

주님은 우리에게 공중의 새를 보라고 말씀하신다. 공중의 나는 새는, "오늘은 무엇을 먹을까? 무엇을 마실까? 어디에 잠자리를 정할까?" 등등 불안해하지 않는다. "내일은 또 어쩌지?" 하고 전혀 염려하지 않는다. 왜냐하면 그들에게는 그들을 만드신 창조주 하나님이 계시기 때문이다.

참새들이 나뭇가지에 앉아 대화를 나누고 있었다:

참새A: "사람들은 내일에 대해 왜 저렇게 염려하는 거지?"
참새B: "아마 그들에게는 우리처럼 하늘 아버지가 안 계시는가봐!!"

만드신 참새들을 기르시는 하나님께서 왜 참새보다 귀한 인간 참새들을 먹이시고 기르시지 않겠는가?

루터가 의기소침 해 있을 때, 새 한 마리가 머리를 날개 밑에 넣고 잠을 청하는 모습을 바라보았다. "음, 이 작은 새는 저녁을 먹고 이제 잠을 청하려 하는군! '내일 먹이는 무엇일까?' '또 내일은 어디서 지낼까?' 따위의 아무런 고민 없이 만족한 잠을 자는군! 옛날 다윗 왕이 그랬던 것처럼, 이 새는 전능하신 하나님의 그늘 아래 살고 있는지 몰라. 이 참새는 작은 가지에 앉아 있으면서 하나님의 보호를 구하고 있는 거야!"라고 그는 혼잣말로 속삭였다.

염려에 대한 어느 심리학자의 분석에 의하면, ① 일어날 수 없는 쓸데없는 것 40%, ② 지나가 버린 과거의 것 30%, ③ 앞으로 있을지도 모를 미래의 가상적인 것 10%, 그리고 ④ 자신과 상관없는 일 12%라고 한다.

키르케고르는 "염려는 죄를 짓기 전의 심리적 상태이다. 염려는 개인을 무기력하게 만들며, 최초의 죄는 언제나 무기력에서 발생한다."라고 했다. 염려하다는 원어 '메림나오'(merimnao)는 '서로 다른 방향에서 잡아당기다', 혹은 '나누어진 마음'이라는 뜻으로, 상충된 관심으로 말미암아 좌절과 긴장을 일으키는 분열의 상태를 시사한다. 그렇기에 예수님은 관심의 통합을 요구하셨던 것이다(마 6:33).

백화점 왕 페니(J. C Penny)는 목사의 아들로서 사업에 투신했다. 그러나 사업이 악화되어 심한 재정난에 부딪친 그는 자살 직전까지 갔었다. 마침내 그는 미시건 주의 베틀클릭 격리 병원에 수용되기에 이르렀다. 어느 날 아침, 병원 한 모퉁이에서 낙망하고 좌절해 있던 페니에게 나지막한 찬송 소리가 들렸다. 그는 무거운 몸을 끌고 맥없이 그곳을 찾아갔는데 어떤 건물에서 기도회가 열리고 있었다. 그 기도회 뒷자리에 앉았는데, 매우 친숙한 찬송 "너 근심 걱정 말아라, 주 너를 지키리"가 불리고 있었다. 그 찬송으로 그는 마음에 큰 확신을 갖게 되었다. 그는 외치기 시작했다. "사랑하는 하나님, 나는 아무 것도 할 수 없습니다. 나를 도와주세요!" 그 후, 그는 고백하기를 "나는 무한한 어두운 공간에서 찬란한 태양으로 옮겨지는 느낌이었고, 마음속의 무거운 짐이었던 염려가 옮겨지면서 그 방을 나올 때 나는 새로운 사람이 되었다. 나는 마비된 심령으로 풀이 죽어 들어가, 해방된 기쁜 마음으로 나왔다."고 했다. 하나님을 신뢰한 그는 마침내 재기하여 세계의 백화점 왕이라는 지위까지 올랐다.

조지 뮬러는 "신앙이 시작되는 곳에 염려가 끝나고, 염려가 시작되는 곳에 신앙이 끝난다."고 했다.

2. 지위추구로부터의 자유(28-29): "들의 백합화를 보라"

리처드 포스터는 "현대인에게는 돈, 섹스, 권력이 하나님(신)이다."라고 했다. 흔히 이 가운데 돈과 권력은 지위상승 욕구와 긴밀히 관련되며, 성은 그 부산물이라고 생각하겠지만, 심리적으로 성 역시 남을 지배하고 착취하는 것이므로 지위상승과 관련이 있다.

권력에 대한 의지는 모든 사람들이 지닌 보편적인 메커니즘이다. 먹고 사는 일차적인 욕구(마슬로우)가 해결되면, 모든 사람들은 권력 추구에 혈안이 된다. 그래서 남의 위에 올라서려는 각종 전략 - 이용과 착취 - 을 구사한다. 그리하여 이웃을 소외시킴으로써 그들 역시 이웃으로부터 소외된다.

예수님은 이런 자들에게 "들의 백합화를 보라"고 말씀하셨다. 솔로몬의 영광(권력)보다 한층 나은 지위를 들의 백합화는 지니고 있다. 사람들의 눈길과 발길이 닿지 않는 들판에 외로이 피어도, 들의 백합화는 하나님 앞에서 인간의 세속 영광보다 더 나은 영광을 한껏 드러내고 있다.

그리스도인이 추구하는 힘(권력)은 섬김의 힘이다. 예수님은 '힘없음의 힘'(powerless power)을 추구하셨다. 예수님은 섬기는 것이 진정한 지위라고 말씀하시며 본을 보여주셨다.

> "그러므로 누구든지 이 어린아이와 같이 자기를 낮추는 사람이 천국에
> 서 큰 자니라"(마 18:4)

예수님은 제자들의 발을 친히 씻기셨다. 요즈음 우리는 형제자매의 발을 씻기기보다는, 신발을 강탈하고 형제자매의 발에 흙과 먼지를 퍼붓는 일을 하고 있지는 않는가, 반성해야 한다.

섬김의 권위(힘)! 그것은 영원히 변치 않는 천국의 질서다!

3. 우선평가를 위한 우리의 필요(30-34절): "들풀을 보라"

나는 성경의 이 대목을 읽을 때마다 유안진의 〈들꽃 언덕에서〉를 떠올린다:

> 들꽃 언덕에서 알았다
> 값비싼 화초는 사람이 키우고
> 값없는 들꽃은 하나님이 키우시는 것을

그래서 들꽃 향기는 하늘의 향기인 것을

그래서 하늘의 눈금과 땅의 눈금은
언제나 다르고 달라야 한다는 것을
들꽃 언덕에서 알았다.

들풀을 키우시는 분은 하나님이시다. 그런데 그 하나님은 그분의 형상대로 우리를 지으신 자비로우신 아버지이시다. 다시 말해, 하나님은 들풀과는 달리 우리에게 아버지 노릇(Fatherhood)을 잘해 주시는 분이시다.

제대로 된 아버지는 자녀에게 가장 중요한 것이 무엇인지 간파하며, 자녀에게 먼저 해줄 것이 무엇인지 알고 준비한다. 하물며 하늘 아버지께서 우리들이 먼저 필요로 하는 것을 모르시겠는가?

우리는 무엇을 먼저 구할 것인가? 무엇이 우선적인 것(priority)인가 하는 문제에 부딪친다.

주님은 우리가 추구할 우선적인 것 - 하나님 나라와 의 - 을 위해 "들풀을 보라"고 말씀하신다. 들풀은 누가 먹이고 입히시는가? 창조주 하나님이시다. 창조주 하나님이 우리를 먹이시고 입히시니, 그것들에 연연해하지 말고 먼저 하나님의 나라와 의를 구하라는 것이다. 이 땅에 하나님 나라가 세워지기를 구하며, 하나님의 정의가 실현되도록 하는 일에 헌신하는 삶을 추구하라는 것이다. 그러면 생명의 유지와 보존은 하나님이 책임지시겠다는 것이다

챨스 휴멜은 "우리의 딜렘마는 시간 부족이 아니라 우선순위의 문제이

다."라고 했다. 비단 시간 부족뿐이겠는가? 생존에 필요한 그 어떤 것의 부족도 포함되는 것이 아니겠는가?

어느 나라 임금이 여러 후궁 가운데 자신을 정말로 사랑하는 사람이 누구인가를 알고자 했다. 그래서 그녀를 왕비로 삼고자 했다. 그래서 후궁들에게 한 가지 소원을 말하라고 했다. 어떤 후궁은 임금이 가지고 있는 금은보화를 달라고 했고, 어떤 후궁은 땅을 달라고 했다. 어떤 후궁은 가족에게 벼슬을 달라고 했다. 그런데 한 후궁은 아무 말이 없었다. 임금이 물었다: "소원이 무엇인고?" 그러자 그 여인은 몸을 굽히면서, "저는 아무 소원이 없습니다. 그저 임금님만 제 곁에 계시면 됩니다."라고 말했고, 그 후궁이 결국은 왕비로 간택되었다.

오늘 우리들의 삶의 문제에 대한 해답은 세 가지다:

(1) 공중의 나는 새를 바라보는 것
(2) 들에서 자라는 백합화를 보는 것
(3) 들풀을 바라보는 것

* 무엇을 바라보고, 무엇을 구하고, 무엇을 추구하는가?

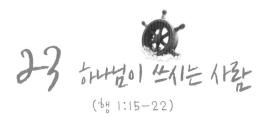

23 하나님이 쓰시는 사람

(행 1:15-22)

모인 무리의 수가 약 백이십 명이나 되더라. 그때에 베드로가 그 형제들 가운데 일어서서 이르되, 형제들아 성령이 다윗의 입을 통하여 예수 잡는 자들의 길잡이가 된 유다를 가리켜 미리 말씀하신 성경이 응하였으니 마땅하도다. 이 사람은 본래 우리 수 가운데 참여하여 이 직무의 한 부분을 맡았던 자라. (이 사람이 불의의 삯으로 밭을 사고 후에 몸이 곤두박질하여 배가 터져 창자가 다 흘러나온지라. 이 일이 예루살렘에 사는 모든 사람에게 알려져 그들의 말로는 그 밭을 아겔다마라 하니 이는 피밭이라는 뜻이라). 시편에 기록하였으되, 그의 거처를 황폐하게 하시며 거기 거하는 자가 없게 하소서 하였고, 또 일렀으되 그의 직분을 타인이 취하게 하소서 하였도다. 이러하므로 요한의 세례로부터 우리 가운데서 올려져 가신 날까지 주 예수께서 우리 가운데 출입하실 때에 항상 우리와 함께 다니던 사람 중에 하나를 세워 우리와 더불어 예수께서 부활하심을 증언할 사람이 되게 하여야 하리라 하거늘 그들이 두 사람을 내세우니 하나는 바사바라고도 하고 별명은 유스도라고 하는 요셉이요, 하나는 맛디아라 … 제비를 뽑아 맛디아를 얻으니 그가 열한 사도

의 수에 들어가니라(행 1:15-26)

가룟 유다가 제 길을 간 이후, 열두 사도 중 결원된 자리를 채울 사도 선택이 이루어져야 했다. 그래서 구약시대의 방식에 따라(레 6:8, 잠 16:33) 제비뽑기를 했는데 - 항아리 속에 이름을 새긴 그릇 조각을 흔들어 먼저 튀어 나온 자를 선택했다 - 바사바라는 유스도가 뽑히지 않고 맛디아('여호와의 선물' 혹은 '하나님이 주심')가 선택되었다.

열두 사도로 선택받은 것은 실로 작은 은혜가 아니다. 그런데 선택되고 안 되고의 문제, 그리고 선택받은 사실보다는 그 이후 하나님과의 관계가 더 중요하다. 맛디아가 열두 사도 중 하나로 선택받은 이후 그의 사역이나 활동에 관한 말씀이 성경 어디에도 없다. 다시 말하여, 신약의 세계에서 그가 남긴 흔적은 전혀 찾아볼 수 없다는 것이다. 그러나 열두 사도 가운데 들지 못한 유스도(그는 70인 제자 중의 한 사람이었다. 눅 10:1)는 다르다.

흔히 베짱이 같은 쓸모없는 사람, 개미 같이 자신만을 위하는 있으나마나한 사람, 그리고 꿀벌같이 남에게 이로움을 주는 사람, 이렇게 세 종류의 사람이 있다고 하는 것처럼, 본문 말씀을 토대로 우리는 세 종류의 사람을 생각할 수 있다.

1. 있어서는 안 될 사람

첫째, 있어서는 안 될 사람은 가룟 유다 같은 사람이다. 가룟 유다는 열두 사도 중 하나로 선택받았다. 그런 면에서 막중한 은혜를 입은 사람이다. 그리고 3년 공생애 기간을 예수와 함께 보낸 제자이다. 그럼에도 불구하고 그는 예수에 대해 바로, 또한 깊이 알지 못했고, 끝내 스승을 배신했다. 그의 말로는 비극적이었다. 그는 있어서는 안 될 사람이었다(마 26:24, "그 사람은 차라리 태어나지 아니하였더라면 제게 좋을 뻔하였느니라").

2. 있으나마나 한 사람

둘째, 있으나마나한 사람이 있다. '여호와의 선물'이란 거창한 뜻의 이름을 가진 사람, 하나님의 은혜와 섭리에 의해 열두 사도 반열에 서게 된 사람인 맛디아는 제비에 의해 선택받았다는 기록만 있을 뿐, 그의 삶이나 사역과 활동에 대해 성경에서 일체의 언급이 없다.

이 사실은 무엇을 말할까? 선택받은 이후, 아무 일이나 역할을 하지 않았다는 말이 아니겠는가? 그는 귀한 직분을 받았지만, 있으나마나 한 사람이었다.

3. 꼭 있어야 할 사람: 하나님이 쓰시는 사람

유스도(Justus)라는 별명을 가진 바사바는 비록 열두 사도의 반열에 들지는 못했지만, 이후 그의 역할과 명성은 자자하다.

1) 행 15:22, "인도자인 바사바라 하는 유다"

이방인 중에 그리스도인으로 개종한 사람들의 할례 문제가 제기된 나머지 예루살렘 회의(Jerusalem Council)가 열리게 되었다. 예루살렘 회의의 결의안을 편지로 이방인 교회에 보낼 때, 바울과 바나바뿐만 아니라 "바사바라 하는 유다"와 실라를 함께 보냈다. 여기서 바사바는 "형제 중에 인도자"로 소개되고 있다. 여기 인도자 '헤구메노스'(leader 혹은 chief)는 히브리서 13장 7, 17, 24절에 의하면 말씀을 전하며 가르치는 자다. 그렇다면 유스도는 교회 안에서 말씀을 전하며 가르치는 사역자요 지도자였음이 가능하다.

예수 그리스도의 복음을 전하기 위해 열두 사도 가운데 든 맛디아의 행적이 묘연한 것과 비교한다면 하늘과 땅의 차이가 난다. 어떤 직분을 받느냐보다 어떤 사람이냐 그리고 사명을 제대로 감당하느냐가 더욱 중요하다.

2) 행 18:7, 하나님을 경외하는 "디도 유스도"

고린도에 가서 선교하던 바울은 브리스길라와 아굴라를 만나 동역자가 된다. 마게도냐에 남겨둔 실라와 디모데가 고린도에 와서 합세하여 복음을 전하던 중, 유대인들이 대적하므로 회당 옆에 있는 "하나님을 경외하는 디도 유스도"의 집에 들어간다.

하나님을 경외하는 유스도! 말씀을 전하며 사람을 세울 뿐만 아니라(사람과의 친밀한 관계) 하나님을 경외하는 구체적이며 실천적인 삶을 사는(하나님과의 친밀한 관계) 사람! 유스도는 바로 그런 사람이었다.

3) 골 4:11, "유스도라 하는 예수-하나님의 나라를 위해 함께 역사하는 자"- 바울의 위로자

옥중에 있는 바울이 골로새 교회에 편지를 써 보낸다. 골로새 교인들에게 문안할 때, 바울은 함께 갇혀있는 바나바의 조카 마가와 유스도도 문안한다는 말을 한다. 유스도는 바울의 동역자로서 하나님 나라를 위해 역사하고 있다. 하나님께서 이방인을 위해 세우신 바울과 "함께" "동역하는" 유스도! 옥에 갇힌 바울과 함께 옥중생활을 하며 바울의 위로와 힘이 되었던 동역자가 바로 유스도다.

어떤 지위를 갖느냐 하는 것보다 더 중요한 것은, 그 직분에 합당한 삶과 사역을 감당하는 것이다. 직분이 있어도 그만, 없어도 그만인 사람 - 맛디아 같은 사람 - 이 될 수도 있고, 직분이 없어도 직분을 가진 사람보다 귀히 쓰임을 받는 사람 - 바사바 유스도 - 이 될 수도 있다.

* 어떤 사람이 되려고 하는가?

24 부활의 증인
(행 13:24-31)

그가 오시기에 앞서 요한이 먼저 회개의 세례를 이스라엘 모든 백성에게 전파하니라 요한이 그 달려갈 길을 마칠 때에 말하되 너희가 나를 누구로 생각하느냐 나는 그리스도가 아니라 내 뒤에 오시는 이가 있으니 나는 그 발의 신발끈을 풀기도 감당하지 못하리라 하였으니 형제들아 아브라함의 후손과 너희 중 하나님을 경외하는 사람들아 이 구원의 말씀을 우리에게 보내셨거늘 예루살렘에 사는 자들과 그들 관리들이 예수와 및 안식일마다 외우는 바 선지자들의 말을 알지 못하므로 예수를 정죄하여 선지자들의 말을 응하게 하였도다 죽일 죄를 하나도 찾지 못하였으나 빌라도에게 죽여 달라 하였으니 성경에 그를 가리켜 기록한 말씀을 다 응하게 한 것이라 후에 나무에서 내려다가 무덤에 두었으나 하나님이 죽은 자 가운데서 그를 살리신지라 갈릴리로부터 예루살렘에 함께 올라간 사람들에게 여러 날 보이셨으니 그들이 이제 백성 앞에서 그의 증인이라(행 13:24-29)

세상에는 인간의 이성으로써 다 파악할 수 없는 놀라운 일들이 많이 일어나고 있다. 인간의 이성의 능력으로 다 파악할 수 없는 어떤 놀라운 일을 우리는 기적이라고 부른다. 질병으로 말미암아 사형선고를 받은 사람이 어느 순간 깨끗이 낫는 일, 자포자기했던 사람이 다시 희망을 갖고 절망에서 일어서는 일, 인간의 힘으로는 도저히 어쩔 수 없는 사람이 어느 순간 새사람으로 변하는 일 등, 무언가 혁신적인 일이 우리 삶 속에 일어나면 우리는 그것을 기적이라고 부른다. 그리고 기적을 바라거나 기대하며 살아가는 경우도 많이 있다.

그런데 기적 가운데 기적이 있다면 그것은 죽은 사람이 다시 살아나는 것이다. 죽었던 사람이 살아나는 기적만한 것이 어디 있는가? 유감스럽게도, 인류 역사 안에서 지금까지 그런 일은 단 한 번도 일어나지 않았다. 사실상 일어날 수도 없는 일이다.

인간의 한계는 죽음이요, 죽음은 인간이 맞이하는 최고의 불행이며 딜레마다. 인간은 이 문제를 해결할 수 없다. 그래서 인간이다. "하나님은 죽지 않지만, 인간은 죽는다"(God is immortal, human being is mortal)는 말 그대로 인간은 태어날 때부터 죽음을 향한 존재다. 이 세상에 질병 치료 연구소를 비롯하여 수많은 연구소가 있지만, 그 어디에도 죽음치료 연구소는 존재하지 않는다. 이 문제를 해결할 수 있는 분은 참 신이신 하나님 한 분밖에 없다.

그러면 죽음은 어떻게 시작되었는가? 죽음은 죄의 열매다. 그래서 하나님은 죄와 죽음의 문제를 해결하시기 위해 독생자 예수 그리스도를 세상에 보내셨고, 예수는 우리 죄를 십자가에서 담당하여 죽으셨고, 죄 없이 죄를 담당하신 예수를 하나님은 능력의 팔로 죽음에서 일으키셨다.

심프슨 박사의 시 속에 담겨진 우화다.

나뭇잎 끝에 매달려 가늘게 떨고 있는 물방울이 하늘의 수호신에게 물었다: "하늘의 수호신이여, 내가 죽어서 더러운 땅에 묻혀야 할 이유가 뭡니까? 동그란 하늘 무지개 속에서 금강석처럼 반짝일 수도 있고, 에메랄드나루비처럼 빛날 수도 있는데 왜 하필이면 캄캄한 진흙 속으로 사라져야 하나요?"

그때 수호신이 인자하게 타이른다: "그렇다. 그러나 네가 땅속으로 떨어지면 꽃잎 속에, 장미의 향기 속에, 우거져 매달린 넝쿨 속에 더 좋은 부활을 해서 나올 것이다."

수호신의 말이 채 끝나기도 전에 수정 물방울은 슬픈 눈망울로 떨어지더니 땅 속으로 사라졌다. 갈라진 대지가 그 물을 훅 마셔버렸다. 사람의 시야에서 사라지고 어쩌면 영원히 없어진지도 모른다. 그러나 없어진 것이 아니라 저편의 백합 뿌리가 물기를 머금고 있다. 담홍색 장미가 물기를 빨아들이고 있다. 멀리까지 퍼진 넝쿨의 잔뿌리가 그 생명의 샘을 발견했다. 잠깐 동안에 그 물방울은 다시 살아나 하늘의 수호신과 재회하고 기쁨을 참지 못하며 대화한다: "나는 죽었지만 다시 살아나서 지금은 더 높게, 더 깊게, 더 큰 생명과 더 좋은 부활 속에 살고 있어요."

1. 예수의 몸의 부활은 역사적 사실

부활하신 예수는 먼저 마리아에게, 그리고 게바와 주의 형제 야고보에게, 사도들에게, 의심하던 도마에게, 그리고 주를 따르던 500여 제자들에게 일시에 나타내 보이셨다("보이다"는 헬라어 '호프세' ὤφθη는 눈으로 볼 수 있는 확정이란 뜻으로, 부활 기사에서 가장 중요한 말이다). 그리고 다메섹 도상에서 박해하던 바울에게도 나타내 보이셨다(고전 15:3-4). 부활을 의심하던 도마는 직접 손으로 예수님의 손과 옆구리를 만져보고 "나의 주, 나의 하나님"이라고 고백했다. 뿐만이 아니다. 예수님의 무덤을 지키던 2개 중대의 로마 군병들이 부활 사건을 목격하고 혼비백산했다. 그들은 대제사장과 장로들이 주는 돈을 받아 챙기고 예수님의 제자들이 예수의 시체를 도둑질해 갔다는 거짓말을 유포했지만, 흔히 그렇듯이 그들은 부활 때 일어난 사건들에 대해 침묵할 수 없어서 "너만 알고 있어." 하며 흘린 말 – 진실한 말이 결국 유대인들에게 널리 유포되었다.

예수의 몸의 부활을 보고 만지고 예수의 말씀을 들은 제자들은 이전의 제자들이 아니었다. 완전히 변화되었다. 순교를 통한 그들의 증언은 예수의 부활의 역사성(historicity of Jesus' Resurrection)을 충분히 증언한다.

2. 의의 기초인 예수의 부활

예수 십자가의 대속의 죽음을 믿으면 우리는 죄 사함을 받는다. 예수의 부활을 믿으면 우리는 의롭다함(칭의 혹은 의인)을 받는다(롬 10:9-10).

믿음의 길, 즉 믿음에 도달하는 길은 여러 갈래가 있다. 먼저, 우리 자신이 눈으로 직접 보고 만지는 것이다. 둘째로는, 역사적 증언을 토대로 한 믿음이다. 우리가 역사책을 통해 우리의 역사와 역사 안에서 활동한 인물들 - 예를 들어, 유관순, 이순신 장군, 세종대왕 등 - 을 알고 믿는 것과 같은 이치다(역사과학). 그런데 목숨을 바쳐 증언한 역사적 사실만큼 신빙성 있는 것은 없다. 역사적 진실이 아닌 것을 위해 누가 목숨을 버리겠는가?

프로스트(H. W. Frost)는 말했다:

마태는 에디오피아에서 칼로 베임 당했다. 마가는 알렉산드리아에서
질질 끌려가 죽임을 당했다. 누가는 그리스에서 올리브나무에 매달
려 죽었다. 요한은 끓는 기름 가마에 던져졌으나 죽지 않아 밧모섬으
로 유배당했다. 베드로는 로마에서 십자가에 거꾸로 처형당했다. 야
고보는 성전 꼭대기에서 밀어뜨린 후 매로 때려 죽였다. 빌립은 브리
기아에서 기둥에 매달려 죽었다. 바돌로매는 산 채로 껍질을 벗겨 죽
임 당했다. 안드레는 십자가에 처형당했다. 도마는 인도의 코도만델
에서 창에 찔려 죽었다. 유다는 화살에 맞아 죽었다. 맛디아는 살로
니가에서 돌에 맞아 죽었다. 바울은 로마에서 목 베임을 당했다.
만일 예수의 부활이 역사적 사실이 아니라면, 누가 거짓을 위해 이렇
게 죽겠는가?

인간의 상상력을 초월한 잔인한 죽음 앞에서 조금도 무서워 떨지 않
고 "예수는 하나님이시다"라고 증언했던 사도들의 증언을 역사적 진
실로, 다시 말해 하나님께서 우리의 구원을 위해 이루신 일로 마음으
로 믿으면 의롭다함을 얻는다. 그뿐 아니라 믿음으로 의롭다함을 받
은 성도는 예수께서 다시 오실 때 역사적 부활에 참여한다.

한편 예수의 십자가 죽음과 부활을 믿어 의롭다함을 받은 자는 '지금 여
기서' 현실적인 부활을 경험하며 산다. 그리스도의 부활 생명이 그/그녀 안에
서 왕 노릇 하기에 그렇다. 매일 매순간 자아는 죽고 그리스도가 나타나므

로 부활을 경험하는 것이다.

3. 부활의 증인으로 세움을 입음

1) 부활을 믿고 체험하는 자는 부활을 증언한다. 예수의 죽음과 부활은 복음 곧 기쁜 소식이다. 이 복음을 전하기 위해 교회가 세움을 입었고 우리는 믿음으로 구원(영생)을 얻었다. 이제 우리는 믿는 자에게 구원을 값없이 (선물로) 주시는 하나님의 은혜의 복음을 세상 끝까지 증언하는 증인의 삶을 살아야 한다.

2) 입으로 복음을 증언할 뿐 아니라 실제 삶으로 예수의 부활을 증언해야 한다. 부활의 향기를 드러내는 삶이 입술의 증언보다 더 힘이 있고 감화력이 있는 시대다.

중세시대에 어떤 수도사가 성지순례를 갔다. 갈보리산 근처를 돌아다니던 중에 뜻밖에 이 수도사는 예수님이 십자가에 못 박힐 때에 쓰셨던 가시관을 발견했다. 그것은 보기에도 험상스러운 가시로 되었고 피가 묻어있었다. 볼품은 없었지만, 주님께서 쓰셨던 가시관이라고 생각하니 지극히 보배스러운 것이어서 수도사는 그 가시관을 고이 자기 나라에 가져갔다. 그리고는 수도원 예배당 강단상 위에 놓았다. 그런데 얼마 후 부활절 아침을 맞아 수도사들이 일찍 예배드리기 위해 그 예배당 문을 여니 온 예배당이 향기로 가득 차 있었다. 이게 웬일이냐고 사방을 둘러보니 그 험상스러운 가시관의 가시에 아름다운 장미꽃이 많이 피었더란다.

부활은 생명을 의미한다. 승리를 의미한다. 향기를 의미한다. 부활하신 주님을 믿고 그분을 영접하는 자는 새 생명을 갖게 된다. 새로운 능력이 생긴다. 향기 나는 생활로 변한다.

* 부활의 증인의 삶을 사는가?

기도와 찬송으로 고난을 극복한 사람들

(행 16:25-26)

한밤중에 바울과 실라가 기도하고 하나님을 찬송하매 죄수들이 듣더라. 이에 갑자기 큰 지진이 나서 옥터가 움직이고 문이 곧 다 열리며 모든 사람의 매인 것이 다 벗어진지라(행 16:25-26)

바울처럼 주님 때문에 그토록 많은 환난과 고난을 당한 사람은 없을 것이다. 하지만 바울은 주님의 이름으로 고난당할 때마다 그 고난을 믿음으로 극복하는 성숙한 믿음의 모습을 보여준다. 하나님은 고난보다 위대하신 하나님, 고난 위에 계신 하나님이시다. 하나님은 고난을 통해 우리를 온전하게 하신다(참조. 히 5:8-9).

빌립보는 로마의 식민지로서 로마의 퇴역 군인 가족들이 많이 살고 있었다. 그래서 바울은 빌립보 교회 신자들에게 그들이 볼 때 "하나님의 시민답게 살라(정치하라)"고 당부한다(빌 3:20).

"아시아에서 복음을 더 이상 전하지 말라"는 성령의 음성을 들을 뿐 아니라, 마게도냐 지방에서 한 이방인이 "와서 우리를 도우라"는 환상을 본 바울은 순종하여 마게도냐로 건너갔다(2차 전도여행). 여인들의 기도처에서 자색옷감 장사 루디아를 만난 바울은 그녀의 도움으로 교회를 세웠고, 이곳을 떠날 때 빌립보 교회는 선교비를 보냈고, 이후에도 계속 사도 바울과 교제(동역)했다(빌 1장 참조).

점치는 귀신이 들린 여종을 고치자, 수입원이 끊어진 여종의 주인의 고발로 바울과 실라는 매를 많이 맞은 후 빌립보 감옥에 투옥되었다. 한밤중에 바울과 실라가 기도하고 찬양하자 큰 지진이 나서 옥터가 흔들리고 옥문이 열리며 쇠사슬이 다 풀어지는 역사가 나타났다. 이로 말미암아 간수와 간수의 가족이 주를 믿고 세례 받는 구원의 역사가 일어났다.

바울과 실라는 극심한 박해와 고난 속에서도 마음의 평안을 잃지 않았다. 왜 그랬을까?

1. 기도의 사람들(25절)

어떤 이는 말했다: "고난이 오기 전에 기도하라. 고난이 오면 더더욱 기도하라."

기도는 고난을 이기는 길이며, 인생에 적극적으로 개입하시는 하나님의 손을 움직이는 힘이요 열쇠다.

"쉬지 말고 기도하라"(살전 5:17)

우리는 때로 하나님의 뜻을 잘 모를 경우가 많다. 무언가 눈에 선명히 보이면 얼마나 좋겠는가? 그러나 눈에 보이는 것이 없어도 우리는 "눈에 보이는 것으로 행하지 않고 믿음으로 행하며"(고후 5:7), 하나님의 임재 앞에 무릎을 꿇는다. 왜냐하면 쉬지 않고 하는 기도생활은 예수 그리스도 안에서 우리를 향하신 하나님의 뜻이기 때문이며, 하나님은 선하신 목자(Jehobah Rohi 여호와 로히)로서 당신의 기뻐하시고, 선하시고 온전하신 뜻(롬 12:2) 가운데로 우리를 인도하시기 때문이다. 하나님께서 "쉬지 말고 기도하라"는 뜻을 분명하게 보여주신 것을 우리는 감사해야 하지 않을까?

그런데 자칫하면 기도는 하나님께 바치는 기도가 아니라 우리의 욕구를 관철시키고자 하는 도구로 전락할 수 있다. 그래서 발설기도(發說祈禱, ejaculative prayer) 혹은 음송기도(吟誦祈禱, verbal prayer)보다는 침묵기도(沈默祈禱, silence prayer)를 권장하는 까닭이 여기에 있다. 침묵기도는 지성을 근거로 우리 자신이 하는 기도가 아니라 잠잠한 가운데 하나님의 음성을 듣는 기도다. 이 침묵기도는 '오라시오'(Oratio) 기도, 즉 하나님의 말씀으로 하는 기도, 혹은 묵상한 하나님의 말씀을 하나님께 되돌려 드리는 기도와 연결되어 있다

성 안토니는 "사람이 자신을 의식하고 자신의 기도를 이해한다면 그것은 완전한 기도가 아니다."라고 했고, 캘빈 밀러는 "끊임없이 혼자서 중얼거리는 기도는 당사자에게는 거대한 입만 키우고, 하나님께는 작은 귀만 만들어드린다."고 말함으로써 기도의 요용(誤用)을 경계했다.

기도에 관한 본회퍼의 말을 요약하면 다음과 같다:

"기도는 인간의 마음의 자연스런 욕망이다. 하지만 바로 그렇기 때문에

기도는 하나님 앞에서 아무런 권리가 되지 못한다. 기도의 전제는 믿음이요 그리스도와의 결속이다. … 올바른 기도는 일종의 공로가 아니고 일종의 훈련도 아니며 일종의 경건한 자세가 아니다. 기도는 아버지의 마음을 향한 어린아이의 호소이다. 그러므로 기도는 하나님 앞에서, 자기 자신 앞에서, 다른 사람들 앞에서 과시하는 행위가 아니다. 기도하는 자는 자기 자신을 알지 못하고 오직 자신을 부르시는 하나님만을 안다. 나는 내 자신을 나의 기도의 관찰자로 만들거나 자신 앞에서 기도할 수도 있다. 내가 추구하는 공개적인 기도의 본질은 바로 내가 기도하는 사람임과 동시에 기도를 듣는 사람이 된다는 사실에 있다. 나는 내 자신의 기도에 귀를 기울인다. 나는 내 자신의 기도에 응답한다. 나의 기도를 통해 어떤 방식으로든 내 자신을 관철하려는 내 자신의 의지는 죽어야 하며 죽임을 당해야 한다."

2. 찬양의 사람들(25절)

바울과 실라는 환경으로 하나님을 평가하지 않았다. 반대로 '하나님의 관점', 혹은 '믿음의 관점에서 환경을 평가'했다. 만일 환경에 의해서 하나님을 평가한다면, 그들은 결코 하나님을 찬양할 수 없었을 것이다.

바울과 실라는 하나님이 어떤 분이신가를 알았기에 감옥에서도 하나님을 찬양했다. 하나님은 감옥에도 계시는 편재(omnipresence)하시는 분이시다. 그러므로 감옥도 그들에게는 예배 장소 - 기도와 찬양의 자리가 되었던 것이다.

하나님은 찬양 속에 임재하신다(시 22:3). 어떤 이는 "찬양은 하늘의 피를 수혈 받는 통로"라고 했다. 난공불락의 요새 여리고 성은 일곱째 날 이스라엘이 하나님을 소리 높여 찬양할 때 모래성처럼 무너져 내렸다(수 6:20). 사울에게 붙은 악귀는 다윗이 악기를 연주하며 찬양할 때 사울에게서 떠났다(삼상 16:23). 모압과 암몬과 마온 족속이 연합군을 형성하여 여호사밧과 그의 백성을 치러올 때, 여호사밧은 금식기도 하고 오직 주를 바라보며 찬양하는 사람들을 세워 하나님을 찬양하게 했는데, 찬양을 시작하자마자 연합군은 패하기 시작했고, 전리품을 취하는 데 3일이 걸렸고, 하나님께서 주변 나라들에게 두려움을 주시므로 여호사밧의 나라는 태평하게 되었다(대하 20장).

어떤 문제이건 그 문제 앞에서 기도드리고 찬양하면, 우리 앞에 놓여 있는 문제는 무너져 내리고 해결의 문은 열린다. 하나님은 찬양받으실 때 구원과 도움의 팔을 펴신다!

3. 하나님의 성령 아래 있는 자들

하나님의 영 아래 있는 자들은 믿음으로 고난의 환경을 이긴다. 성경은 말씀 한다: "너희가 그리스도의 이름으로 치욕을 당하면 복 있는 자로다 영광의 영 곧 하나님의 영이 너희 위에 계심이라"(벧전 4:14). 영광의 영이 그들 위에 머물러 계시기 때문에 그들은 고난을 감당하고 이길 수 있었다.

성령이 우리 머리 위에 계시면 우리 역시 어떤 삶의 상황에서도 승리의 삶을 살 수 있다. 그러므로 무엇보다 믿음으로 성령 충만을 구하고 받아야 한다. 세계의 백화점 왕 J. C. 페니는 "백화점 1,800개를 소유한 것보다 성령 충만 받고 날마다 승리의 삶을 사는 것이 더 큰 행복이다."라고 했고, 우찌무라 간조는 "이 세상에서 성령을 충만히 받는 것보다 더 좋은 것은 없다."라고 했다. 빌리 그레이엄은 성령 충만 하지 않는 것을 죄로 간주했다:

"여러분은 성령 충만 하십니까? 만일 성령 충만 하지 않으면 하나님께 죄를 범하고 있는 것입니다."

* 닥쳐오는 고난을 어떻게 대면하고 있는가?

하늘에서 내려 온 선물

2019년 3월 5일 초판발행

지은이 | 이기승
발행인 | 김수곤
편집인 | 민상기
발행처 | 도서출판 선교햇불(ccm2u)
          전화 : (02) 2203-2739
          팩스 : (02) 2203-2738
등록일 | 1999년 9월 21일 제 54호
등록처 | 서울 송파구 백제고분로 27길 12(삼전동)
이메일 | ccm2you@gmail.com
홈페이지 | www.ccm2u.com

ISBN 978-89-5546-417-7 03230